Español Lengua E

Curso de
PUESTA A PUNTO
en español

Escriba, hable, entienda ...
...argumente

ALFREDO GONZÁLEZ HERMOSO
CARLOS ROMERO DUEÑAS

edelsa
GRUPO DIDASCALIA, S.A.

Dirección y coordinación editorial: Departamento de Edición de Edelsa.
Diseño de cubierta: Departamento de Imagen de Edelsa.
Maquetación y fotocomposición: Quatro Comunicación, S. L.
Fotomecánica: Trescan, S. A.
Imprenta: Peñalara, S. A.
Encuadernación: Perellón, S. A.

Fotografías: Brotons (cubierta e interiores), Quatro (pág. 114).
Ilustraciones DELE: Antonio Martín. Ilustración pág. 138: Gallardo.

Agradecimientos: Perfumería Gal, González Byass, Loewe, Osborne y Cía.,
Philip Morris Spain.

I.S.B.N.: 84-7711-196-0
Depósito legal: M-7382-1998

Público y nivel

Puesta a punto en español. Escriba, hable, entienda... argumente es un curso de español lengua extranjera especialmente dirigido a alumnos que, después de uno o varios años de español, son capaces de comunicarse en la vida cotidiana y desean **poner a punto** y consolidar sus conocimientos para alcanzar un **nivel intermedio** de competencia lingüística.

Puesta a punto prepara para la obtención del Diploma Básico de Español Lengua Extranjera, siguiendo las directrices del Plan Curricular del Instituto Cervantes.

Enfoque y Contenidos

● Saber expresarse, hablar con corrección, defender una idea, convencer al interlocutor, pasar una entrevista de trabajo, en resumen, **argumentar**, es el centro del funcionamiento de la sociedad.

Por eso los objetivos específicos de **Puesta a punto** son la adquisición de técnicas de argumentación -mediante *conectores, reglas gramaticales y análisis del discurso-* y su puesta en práctica mediante las más diversas estrategias.

● **Puesta a punto** toma en cuenta el conjunto de la comunicación, tanto oral y escrita como no verbal. Así, en el marco de la *Pragmática de la Comunicación*, introduce un estudio de los gestos.

● Cada Unidad del Curso desarrolla un aspecto de las técnicas de la argumentación, presentando y trabajando los conectores correspondientes.

Sus actividades interrelacionadas integran las destrezas lingüísticas de recepción -comprensión auditiva y lectora- y de producción -expresión oral y escrita- y preparan la realización de una tarea o actividad final -llamada *Meta*- de carácter comunicativo. Por su alto grado de motivación ponen en juego continuamente *la creatividad, la negociación y la autonomía*.

La cultura de los países hablantes de español está presente en textos escritos, grabaciones con diversos acentos, etc., y en unas *Viñetas culturales*, cuyas imágenes y referencias pasan revista a la vida social, política y cultural de los países hispánicos.

● En el Libro del Profesor se encuentran además una serie de actividades complementarias, banco de ideas, juegos y claves de los ejercicios.

Organización de los Contenidos

● **Un cuerpo general:**

- **12 Unidades** de idéntica estructura. ————
- **4 Modelos** abreviados de preparación —— para la Prueba de obtención del **Diploma Básico de E./L.E.** (después de las Unidades 3, 6, 9 y 12).
- **Tablero de El Metajuego:** gran juego/tarea final de preguntas y respuestas que globaliza los contenidos del curso. (Fichas en el Libro del Profesor.)

● **Un material complementario de refuerzo y autoaprendizaje:**

- **Gramática:** *13 puntos gramaticales* de —— trabajo obligado para el nivel intermedio de E/LE.
- **Viñetas culturales:** Banco de datos de —— señas de identidad cultural de los países hispánicos.
- **Transcripción de textos auditivos.** ————

Estructura de Unidad

● **Título y Objetivo.**

● *Salida*: ———————————————
    - Texto argumentativo y conectores de la Unidad.
    - *Uso de la lengua*: puntos clave del —— discurso.

● *Etapas*: Ejercicios y actividades de práctica —— de las cuatro destrezas.

● *Meta*: Tarea final: práctica oral, en grupo, globalizadora del Objetivo de la Unidad.

● *La mente en forma*: ——————————
    - *En boca de todos*: Repertorio temático de frases hechas y expresiones figuradas.
    - *Una imagen vale +*: Repertorio temático de la expresión gestual.

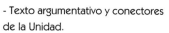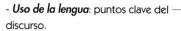

EL METAJUEG

GRAMÁTIC

VIÑETAS CULTURAL

TRANSCRIPCIÓN

unidad 1

EN POCAS PALABRAS

Objetivo

Exponer y explicar. (Introducir, anunciar el tema,
enumerar los argumentos, concluir.)

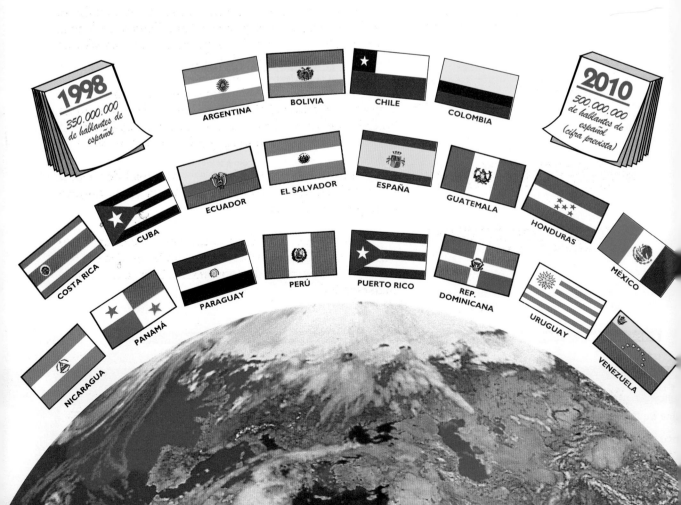

1998 350.000.000 de hablantes de español

2010 500.000.000 de hablantes de español (cifra prevista)

ARGENTINA BOLIVIA CHILE COLOMBIA

CUBA ECUADOR EL SALVADOR ESPAÑA GUATEMALA HONDURAS

COSTA RICA PARAGUAY PERÚ PUERTO RICO REP. DOMINICANA URUGUAY MÉXICO

NICARAGUA PANAMÁ VENEZUELA

Salida

La importancia del español en el mundo

VIÑETA Nº1, pág. 182

| **Introducción: anuncio del tema** | Voy a demostrarles la importancia del español en el mundo. |

Enumeración de los argumentos

| **Primer argumento** | Para empezar, diré que la lengua española es una de las primeras de la Tierra por el número de hablantes: 350 millones en la actualidad. |

| **Segundo argumento** | En segundo lugar, es una de las más extendidas geográficamente: es lengua oficial [1] en 21 países. |

| **Tercer argumento** | En tercer lugar, como todos sabemos, es una de las lenguas más importantes en los foros [2] políticos internacionales: es lengua oficial de la ONU, de la UNESCO y de la UE. |

| **Último argumento** | Cabe añadir que, desde el punto de vista de su difusión, es una de las lenguas más prometedoras.[3] Existen en lengua española 16.429 publicaciones periódicas, 254 canales de televisión y 5.112 emisoras de radio. |

| **Transición y resumen** | Así pues, para resumir, podemos afirmar que la importancia del español en el mundo se debe al número considerable de hablantes, a la extensión geográfica de la lengua y a su difusión tanto nacional como internacional. |

| **Conclusión** | Todo esto nos lleva a concluir en la necesidad de conocer el español si queremos comunicarnos con el mayor número de personas en el mundo. |

| **Ampliar la conclusión** | Y planteo la pregunta: cuando dentro de 15 años haya 500 millones de hispanohablantes en el mundo (es decir el 8% de la población mundial), ¿no lamentará [4] no haber aprendido español? |

Léxico

[1] **lengua oficial**: lengua aceptada por el gobierno u otra autoridad.

[2] **foro**: aquí, reunión para discutir asuntos de interés actual ante un auditorio que a veces interviene.

[3] **prometedora**: con un gran futuro. Que llegará a ser muy importante.

[4] **lamentar**: sentir pena o disgusto.

EN POCAS PALABRAS EN POCAS PALABRAS   EN POCAS PALABRAS   EN POCAS PALABRAS EN POC.

Repase los argumentos que se han utilizado completando el siguiente esquema.

TEMA

El español es una lengua de gran importancia en el mundo.

ARGUMENTOS

La lengua española es una de las más habladas de la Tierra.

CONCLUSIONES

uso de la lengua

organizar las ideas

Los **conectores** son las palabras que usamos para organizar las diferentes ideas de un texto.

Sin conectores el estilo es ágil y rápido. Con ellos, el ritmo es más lento, pero quedan más claras las relaciones entre las ideas: unión, oposición, causa, consecuencia, etc.

EJEMPLOS

POR UN LADO *puedo ayudarle en las traducciones* **PORQUE** *sé varios idiomas;*
introduce   expresa causa
SIN EMBARGO, *antes tendría que aprender bien el uso del ordenador.*
expresa oposición

uno   Clasifique en su lugar correspondiente el resto de los conectores que encontrará más abajo.

Anuncio del tema
Y A DEMOSTRARLES

Primer argumento
PARA EMPEZAR

Segundo argumento
EN SEGUNDO LUGAR

Otros argumentos
EN TERCER LUGAR
CABE AÑADIR

Resumen de lo expuesto
ASÍ PUES, PARA RESUMIR

Conclusión
(TODO) ESTO NOS LLEVA A

Conclusión

Ampliación de la conclusión
Y PLANTEO LA PREGUNTA

POR UN LADO / POR UNA PARTE / SE PUEDE AÑADIR / EN CONCLUSIÓN / DIGAMOS QUE /
EN PRIMER LUGAR / PARA SEGUIR / NO HAY QUE OLVIDAR QUE / LA VERDAD ES QUE /
EN POCAS PALABRAS / ASÍ PUES / LLEGAMOS A LA CONCLUSIÓN / POR OTRA PARTE /
VOY A HABLAR DE / CABE AGREGAR / PARA TERMINAR – FINALIZAR / VAMOS A VER –
VEAMOS / EMPECEMOS POR / POR OTRO LADO / EN RESUMEN / PARA CONCLUIR / SIGAMOS
POR / CONCLUYENDO / ME GUSTARÍA DECIR QUE

dos   Tal vez hemos olvidado alguno. Añada los que recuerde.

COMPRENSIÓN ESCRITA

Las revistas del corazón

Me gustaría hacer una defensa de las revistas del corazón, aunque sólo sea para darlas a conocer y entenderlas.

En lo que a mí concierne, confieso que, aunque me cansan, intento leerlas y con frecuencia me he metido en ellas. Considero que son uno de esos elementos útiles en nuestra vida de ocio.

Para empezar, en este país la mayoría de la gente no lee nada, o lee revistas del corazón. Algunos pensarán que en este caso es mejor no leer nada. Esto es un error. Si la mayoría no lee nada, al menos los que leen revistas del corazón acabarán leyendo otra cosa, ellos o sus hijos.

Por otro lado, para muchas personas esto de leer "historias de famosos" es una especie de ventana abierta al mundo. Será un mundo irreal y estúpido, sin duda, pero mucho más irreal es el que uno puede crearse a solas con su propia miseria o incomunicación.

Se puede añadir que estas revistas acostumbran a muchas personas puritanas a ver como normales algunas conductas que consideran desviadas. Si las toleran en los famosos, después lo harán en el vecino.

En conclusión, lo que siento es la imagen que dan estas revistas de ser "femeninas", cuando deberían llegar a muchos hombres. Y deberían escribir en ellas los buenos escritores. Y los estudiantes de periodismo deberían analizarlas muy bien, y hacer otras nuevas.

Y yo termino ya deseando que alguna vez se vendan tantos ejemplares de periódicos como hoy se tiran de las revistas del corazón.

Texto adaptado de Amando de Miguel en *La expresión escrita*. Ed. Teide.

a) Encuentre en el texto palabras o expresiones que signifiquen lo mismo que las siguientes:

- Por lo que a mí respecta: _____
- Tiempo libre: _____
- Equivocación: _____
- Austeras, inflexibles: _____
- Publican: _____

VIÑETA N°2, pág. 182

b) Busque cuatro conectores de este documento y sustitúyalos por otros del mismo tipo.

c) ¿Por qué dice el autor que leer las revistas del corazón hace a las personas más tolerantes?

d) ¿Expresa el autor en alguna ocasión su opinión personal, sin intención de demostrarla mediante argumentos?

e) Invente algunos argumentos en contra de esta clase de revistas.

EJEMPLO
No es un buen periodismo.

f) Observe el documento titulado Las dos últimas décadas en el corazón. Elija dos hechos que usted conozca y crea más importantes. ¿Por qué los ha elegido?

Las dos últimas décadas en el corazón

Años 80

- Diciembre 80: Asesinato en Nueva York de John Lennon
- Agosto 81: Boda de Carlos y Lady Di
- Diciembre 81: Secuestro del padre de Julio Iglesias
- Mayo 82: Muere la actriz Romy Schneider
- Octubre 82: Muere Grace Kelly
- Mayo 83: Boda de Lolita y Guillermo Furiase
- Febrero 84: Muere en accidente el Duque de Cádiz
- Septiembre 84: Cogida mortal de Paquirri
- Octubre 85: Muere de SIDA el actor Rock Hudson
- Julio 86: Boda de Andrés de Inglaterra y Sarah Ferguson
- Enero 88: Boda de Isabel Preysler y Miguel Boyer
- Marzo 89: Lola Flores acusada de fraude a Hacienda

Años 90

- Octubre 90: Muere Stefano Casiraghi, marido de la princesa Carolina de Mónaco
- Junio 92: Nace Alejandro, primer hijo de la actriz Ana Obregón
- Noviembre 92: Nace el primer hijo de Estefanía de Mónaco
- Diciembre 92: Separación de Carlos y Lady Di
- Septiembre 93: Boda de Chabeli Iglesias Preysler y Ricardo Bofill Jr.
- Mayo 94: Muere Jackie Kennedy
- Agosto 94: Boda de Michael Jackson y Lisa Marie Preysler
- Febrero 95: Boda de Rocío Jurado y José Ortega Cano
- Marzo 95: Boda de la Infanta Elena y Jaime de Marichalar
- Mayo 95: Mueren Lola Flores y su hijo Antonio
- Agosto 97: Muere Lady Di en accidente automovilístico
- Octubre 97: Boda de la Infanta Cristina e Iñaki Urdangarín

COMPRENSIÓN ORAL Acento catalán

Los coches descapotables

a) Ponga a prueba su oído.

Escuche una vez sin tomar nota y luego responda a las siguientes cuestiones:

● ¿Cuáles de estos conectores no han sido utilizados en el texto?

BUENO, VOY HABLAR / EMPECEMOS POR / ADEMÁS / POR CONSIGUIENTE /
PARA SEGUIR / POR ELLO / POR LO TANTO / EN RESUMIDAS CUENTAS /
CABE AÑADIR / DESPUÉS DE TODO / POR ESO

● Subraye las palabras que se hayan mencionado:

ventaja / inconvenientes / pequeño / problema /
larga / corto / asientos / caros / confortable /
automóvil / compensa / amortiguadores

> **AYUDA**
>
> Las palabras y frases siguientes son las claves de cada paso, aunque están desordenadas:
>
> ● espacio
> ● cuesta trabajo entrar y salir
> ● precio

Escúchelo de nuevo y trate de anotar los pasos de la argumentación.

b) Trabaje su imaginación.

¿Está de acuerdo con la deducción final?
Por tanto, ¿qué respondería usted a las preguntas que se plantean?

EXPRESIÓN ORAL

a) ¿Aprender idiomas?

De uno en uno: cada alumno deberá dar un argumento que demuestre la importancia de aprender idiomas. Aunque también podrá decir un argumento en contra si lo desea.

> **EJEMPLOS**
>
> - *Es imprescindible aprender idiomas porque es más fácil encontrar empleo cuando se dominan varias lenguas.*
> - *No vale la pena aprender idiomas porque hay muy pocas profesiones para las que sea necesario conocer otras lenguas.*

unidad 1

cuarta etapa
EXPRESIÓN ESCRITA

a) De entre los conectores siguientes, elija el más adecuado para unir las frases. Alguno podrá usarse más de una vez:

(anotaciones manuscritas: Cotilleo / cotillear / una persona cotilla)

**TANTO ES ASÍ QUE / SIN EMBARGO / POR UN LADO /
POR CONSIGUIENTE / POR OTRO LADO / PROBABLEMENTE**

(anotación manuscrita: especialm)

> *La lengua es un vehículo de unión.* **SIN EMBARGO** *su fuerza depende de lo bien que se hable.*
>
> Necesitamos dominar la lengua desde niños; ___*tanto es así que / por siguiente / tanto es así que*___ la enseñanza de la lengua es un objetivo principal en la educación.
>
> La educación y la cultura no sólo se adquieren en los centros de enseñanza; ___*(es claro)*___ *(sin embargo)* el cine, el teatro o cualquier otro espectáculo también instruyen.
>
> Los programas de televisión que incluyen el cotilleo en sus contenidos están divididos en dos corrientes: ___*por un lado*___ los que buscan informar sin excesos ni deformaciones; ___*por otro lado*___ los que ofrecen sensacionalismo sin límite.
>
> Más de tres millones de españoles leen habitualmente la revista *¡Hola!*; ___*tanto es así que / por con*___ se ha convertido en la publicación de mayor difusión en los últimos cinco años.
>
> El porcentaje de hombres que leen revistas del corazón ha aumentado de forma espectacular; ___*probablemente*___ representan casi una tercera parte del total.
>
> Entre *¡Hola!*, *Diez Minutos*, *Lecturas*, *Semana* y *Pronto* suman un total de 6,5 millones de ejemplares cada semana; ___*sin embargo / para seguir / a pesar que*___ hace quince años, esas cifras difícilmente habrían alcanzado la mitad.

(anotación manuscrita: Seis millones y media)

b) Lea el siguiente discurso. El político que lo ha pronunciado no ha usado apenas conectores, pero se entiende perfectamente.

(anotación manuscrita: Conectores)

discurso

"Tengo que agradecer a todos los ciudadanos el apoyo prestado, sin él no hubiéramos ganado estas elecciones; les aseguro que se cumplirá totalmente el programa electoral. El país progresará siempre y cuando sigamos contando con la confianza de todos: les pido coraje y esperanza en el futuro".

De todas formas podríamos mejorar el estilo. Rellene los espacios en blanco con conectores adecuados:

.... (introducción de la 1ª idea) tengo que agradecer a todos los ciudadanos el apoyo prestado, ... (causa) sin él no hubiéramos ganado estas elecciones; .... (introducción de la 2ª idea) les aseguro que se cumplirá totalmente el programa electoral. .... (oposición) el país progresará siempre y cuando sigamos contando con la confianza de todos: .... (consecuencia) les pido coraje y esperanza en el futuro.

C) Puzzle

Numere las piezas correctamente y podrá leer un texto argumentativo. Pero antes elija y escriba los conectores que faltan.

> **VEAMOS / POR OTRO LADO / CONCLUYENDO**

1 POR UN LADO, ... es el elemento más necesario para la vida, después del aire.

5 .... el cuerpo de un adulto normal contiene entre un 60 y un 70% de agua. Por eso, podemos pasarnos casi dos meses sin comer, pero sólo unos cuantos días sin beber.

4 .... debemos ahorrar agua y también evitar aquello que produce su desaparición: el calentamiento de la Tierra por culpa del agujero en la capa de ozono o de los incendios forestales (los bosques atraen la lluvia).

2 ADEMÁS, sin agua moriríamos envenenados por nuestros propios excrementos.

3 .... el agua es un bien imprescindible para la vida del hombre y actualmente escasea en muchos países de la tierra, entre ellos el nuestro.

Práctica oral en grupo globalizadora del objetivo de la unidad:

exponer y explicar (introducir, anunciar el tema, enumerar los argumentos, concluir).

Desarrollo del ejercicio

1. La clase se divide en grupos de tres alumnos.

2. Cada grupo elige en común una idea. (5 minutos)

3. Cada uno de los tres alumnos prepara por su cuenta la idea. (10 minutos)

4. La exposición delante de toda la clase será individual y durará 1 minuto como máximo.

Debe respetarse este tiempo, aunque la argumentación no haya acabado.

5. El alumno podrá tener consigo un pequeño esquema, pero no podrá leerlo.

6. El resto de la clase decidirá mediante una votación cuál de los tres lo ha hecho mejor. Se valorará el uso correcto de los pasos de la argumentación, que ésta acabe en el tiempo indicado y que sea convincente. (2 minutos)

Irán saliendo por turnos los grupos hasta que hayan participado todos. Según el número de alumnos que haya en clase es posible que esta práctica deba realizarse en dos sesiones.

Normas para la exposición

- Empezar con una pequeña introducción.
- Inventar al menos tres argumentos.
- Concluir.
- Utilizar los conectores adecuados.

Sugerencia

Los temas para este ejercicio podrán extraerse del **Banco de ideas** del Libro del Profesor.

LA⚙ MENTE
en boca de todos
Frases hechas y expresiones figuradas

hablar

con claridad

5 a) Hablar en cristiano.
b) Hablar largo y tendido. 6
ser directo c) Irse de la lengua.
d) No tener pelos en la lengua.
e) Hablar en plata.
f) Lo digo con el corazón
en la mano.
mucho g) Hablar por los codos.
h) Tener algo en la punta
de la lengua.
facilidad i) Tener mucha labia.
j) Tener un pico de oro.
k) Tirar de la lengua.

golden mouth

no hablar

8 l) No decir esta boca es mía.
8 m) No decir ni mu/ni pío.
n) No soltar prenda.
ñ) ¡Punto en boca!

*Para de hablar
Callate!*

no revelar una información

?no jugar a prendas

A Relacione las expresiones anteriores con las explicaciones que siguen (entre paréntesis aparece el número de frases que pueden relacionarse con esa definición).

1. Hablar muy bien.
2. Hablar con toda sinceridad.
3. Hablar de forma comprensible. (2)
4. Sonsacar algo a alguien o hacerle hablar.
5. Decir las cosas con claridad y llanamente.
6. Revelar algo que debería estar oculto.
7. Tratar un tema extensamente.
8. No hablar. (2)
9. Hablar mucho.
10. Tener mucha facilidad de palabra.
11. No revelar algo secreto.
12. Haber olvidado una palabra y estar a punto de recordarla.
13. Se utiliza para mandar callar a alguien.

PRAGMÁTICA DE LA COMUNICACIÓN

UNA IMAGEN VALE +

Las miradas se utilizan instintivamente como un medio de contacto entre el que habla y el que escucha. Observe los dibujos y relaciónelos con los mensajes que inspiran.

1. ANSIEDAD - 2. ENFADO
3. COMPLICIDAD - 4. AUTORIDAD
5. DESPRECIO - 6. SIMPATÍA

a.

b.

B

¿Cuál es la expresión correcta en cada contexto?

- Mónica no quería decirnos por qué se ha separado de su marido. Pero la hemos .... y nos ha confesado que él tenía una amante.   **b**

  a) hablado por los codos
  b) tirado de la lengua
  c) salido por peteneras

- Conmigo no uses palabras inglesas: que si *marketing, holding, hall...*, porque no las entiendo. Más vale que me .... **a**

  a) hables en cristiano.
  b) tires de la lengua.
  c) hables con el corazón en la mano.

- Todas las revistas del corazón van detrás de ese actor tan popular. Quieren saber si por fin se casa o no. Se lo han preguntado un montón de veces pero él .... **c**

  a) tiene un pico de oro.
  b) se va de la lengua.
  c) no suelta prenda.

- ¿Cómo se llamaba la chica que conocí el verano pasado en la costa? Su nombre empezaba por E. Me da rabia no acordarme, porque ....**c**............

  a) tengo mala lengua.
  b) hablo largo y tendido.
  c) lo tengo en la punta de la lengua.

C

¿Qué cree que pueden significar estas frases?

- Por la boca muere el pez.
- En boca cerrada no entran moscas.

D *dibujando* EXPRESIONES

¿Qué expresión está representada con este dibujo?

el lenguaje de las miradas

c.

d.

e.

f.

unidad 2

VUESTRA MAJESTAD ES COJA*

Objetivo

Exponer y explicar. (Describir, comparar, expresar las causas y las consecuencias.)

*El gran escritor español Francisco de Quevedo (1580-1645) tuvo la osadía de recordarle a la reina su defecto físico (era coja) recitándole delante de toda la corte uno de sus poemas burlescos:

Entre un clavel y
una rosa
vuestra majestad
escoja.

 # Defensa de la monarquía española

VIÑETA Nº3, pág. 182

Enunciar la cuestión

Monarquía y democracia pueden ser de algún modo dos palabras sinónimas, o al menos complementarias.

Hacer comparaciones

Hay grandes monarquías que son grandes democracias. Inglaterra, que es una gran monarquía, es tan democrática como la República Francesa. Es incluso la más antigua democracia de la era moderna.

Describir los hechos por etapas

Podríamos decir que, históricamente, España siempre ha sido una monarquía, salvo en dos ocasiones en que fue una República: en 1868 -tan sólo durante un año- y de 1931 a 1936 -una Segunda República que se terminó con una sangrienta guerra civil, la cual se prolongó en una dictadura militar hasta 1975.

Tras cuarenta años de ausencia de democracia, los españoles recuperaron sus derechos, y en el referéndum de 1978 la inmensa mayoría votó la Constitución que devolvía al Estado español una monarquía parlamentaria[1]. Podríamos decir que, en realidad, esta monarquía –en la que el rey reina, pero no gobierna– es una especie de monarquía republicana o república con un rey.

Desde 1978, por tanto, todos los partidos políticos españoles aceptan y sostienen[2] la forma monárquica del Estado, valorando la importancia de ésta en la etapa de transición hasta la plena maduración de las instituciones democráticas.

Recordemos que, cuando se produjo el intento de golpe de Estado[3] conocido como el 23F (23 de febrero de 1981), el rey, con su actuación directa, permitió la vuelta a la normalidad y la institución de la Corona cobró toda su legitimidad democrática.

Sacar las consecuencias

Como consecuencia de todo esto, podemos decir que la monarquía es un factor de estabilidad del Estado español y de las diferentes Comunidades[4] que lo componen. Incluso en las relaciones internacionales, la existencia del rey es de gran utilidad, porque representa la totalidad de los pueblos de España y porque recuerda el pasado prestigioso de una de las monarquías más antiguas del mundo.

Concluir

Concluyendo, podemos afirmar que la institución monárquica ha resuelto el gran problema de la transición y ha permitido a España recobrar las libertades democráticas. Sin ella, el paso a la democracia hubiera sido más difícil y problemático. Luego, ¿no es cierto que en España monarquía y democracia resultan ser complementarias?

---

[1] **monarquía parlamentaria**: forma de gobierno que combina la presencia de un rey y un parlamento u órgano político que elabora y aprueba las leyes, cuyos miembros son elegidos democráticamente.

[2] **sostener**: defender, apoyar, hacer que se mantenga algo.

[3] **golpe de Estado**: acción por la que un grupo, normalmente militar, se apodera ilegalmente y por la fuerza del gobierno de un país.

[4] **Comunidad**: cada una de las regiones con instituciones propias en que se divide el Estado español.

¿Cuáles de los siguientes argumentos se utilizan en el texto Defensa de la monarquía española?

- ☐ Inglaterra es un país tan democrático como Francia.
- ☐ En España siempre ha habido monarquía.
- ☐ La monarquía española actual es un especie de república. ✓
- ☐ El rey reina y gobierna.
- ☐ El paso a la democracia ha sido más difícil con la monarquía.

uso de la lengua

comparar y expresar causas y consecuencias

● La causa y la consecuencia mantienen una estrecha relación. Expresamos una u otra según el orden de la frase.

EJEMPLO

Causa	
PORQUE **YA QUE** **DADO QUE** **COMO**	
Consecuencia	
POR ESO **POR TANTO** **LUEGO** **ASÍ QUE**	

La monarquía española jugó un papel decisivo en la transición. Los partidos políticos valoran la figura del rey.

Causa: Los partidos políticos valoran la figura del rey **PORQUE** la monarquía española jugó un papel decisivo en la transición.

Consecuencia: La monarquía española jugó un papel decisivo en la transición, **POR ESO** los partidos políticos valoran la figura del rey.

¡OJO!

El conector **TAN... QUE** expresa consecuencia.
*La monarquía española jugó un papel **TAN** decisivo en la transición **QUE** los partidos políticos valoran la figura del rey.*

● En las comparaciones los conectores tienen dos términos:
- superioridad: **MÁS... QUE**
- inferioridad: **MENOS... QUE**
- igualdad: **TAN / TANTO... COMO**

● **Recuerde que**

El segundo término del conector de igualdad es diferente al de superioridad e inferioridad.

EJEMPLO   *Inglaterra es **TAN** democrática **COMO** la República Francesa.*

El primer término de la igualdad varía según el contexto:
- **TAN** + **adjetivo**

EJEMPLO   *Inglaterra es **TAN** democrática **COMO** la República Francesa.*

- **TANTO/A/OS/AS** + **sustantivo**

EJEMPLO   *En España hay **TANTA** libertad **COMO** en Francia o Alemania.*

- **TANTO es invariable** cuando lo que se compara es el verbo.

EJEMPLO   *Los españoles valoran **TANTO** la monarquía **COMO** la propia democracia.*

unidad 2

uno   Clasifique correctamente los conectores siguientes:

CONCLUYENDO / POR ELLO / HASTA EL PUNTO DE QUE / SE PARECE A / ES INCOMPARABLE / PUES /
COMO CONSECUENCIA / RESULTA EVIDENTE QUE / ES EVIDENTE QUE / POR (LO) TANTO /
ES LO MISMO QUE / POR ESO (ES POR LO QUE) / NO HAY COMPARACIÓN POSIBLE ENTRE - CON /
DE AHÍ QUE / ES PREFERIBLE ... QUE / A DIFERENCIA DE / NO TIENE NADA QUE VER CON /
DE AHÍ LA IMPORTANCIA / NO CREO QUE ... SUPERE A ... EN / PORQUE / MÁS VALE ... QUE /
ES IGUAL (A) (QUE) / TANTO ES ASÍ QUE

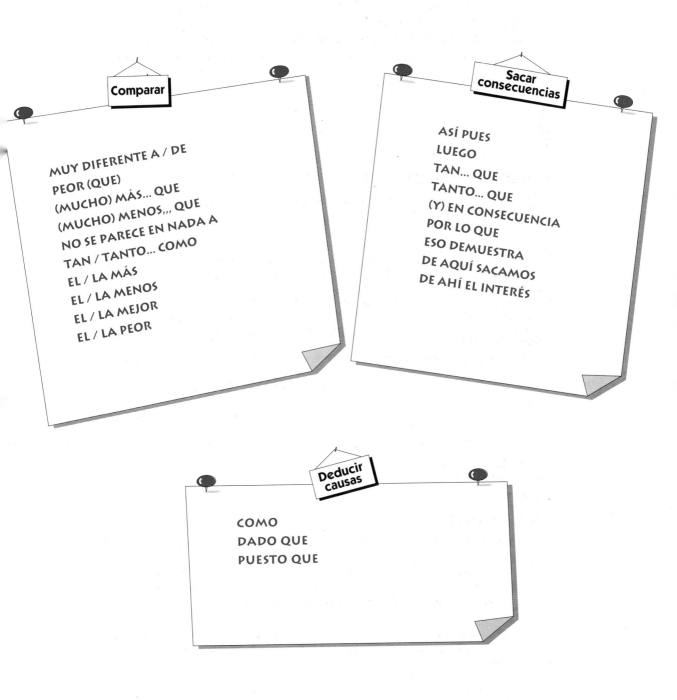

Comparar

MUY DIFERENTE A / DE
PEOR (QUE)
(MUCHO) MÁS... QUE
(MUCHO) MENOS,,, QUE
NO SE PARECE EN NADA A
TAN / TANTO... COMO
EL / LA MÁS
EL / LA MENOS
EL / LA MEJOR
EL / LA PEOR

Sacar consecuencias

ASÍ PUES
LUEGO
TAN... QUE
TANTO... QUE
(Y) EN CONSECUENCIA
POR LO QUE
ESO DEMUESTRA
DE AQUÍ SACAMOS
DE AHÍ EL INTERÉS

Deducir causas

COMO
DADO QUE
PUESTO QUE

dos   Tal vez hemos olvidado algún conector. ¿Recuerda otros?

Llegue a París
en un vuelo con

Vaya a París en un vuelo regular que marca las distancias

AERO-SOL, la línea aérea privada más importante de España, inicia otro reto uniendo la ciudad de Barcelona con París gracias a sus nuevos vuelos regulares. Tendremos uno diario, excepto los martes.

Nuestros modernísimos aviones cruzan los cielos con un compromiso primordial: dar a nuestros clientes el mejor servicio que se puede ofrecer. Quien crea que el servicio a bordo es igual en todas las compañías, se encontrará con algo muy diferente en nuestros aviones, pues aquí todos los clientes son preferentes.

Además, nuestras económicas tarifas no se parecen en nada a las que existen actualmente en el mercado. A diferencia de otras compañías, *AERO-SOL* ofrece servicios por los que no es necesario pagar suplementos.

AERO-SOL se creó hace sólo 15 años con una pequeña flota de cuatro aviones. Desde entonces ha venido creciendo hasta convertirse en una importante compañía aérea que une nuestro país con tres continentes.

Asimismo, además de los puntos de venta en los aeropuertos más importantes, *AERO-SOL* tiene abiertas más de 500 oficinas y agencias de viajes por toda España.

Todo esto demuestra que somos competentes y la satisfacción y fidelidad de nuestros clientes nos animan a seguir creciendo.

AERO SOL

quincenal
cada hora   *semestral*
trimestral   *annual*

a) Cambie el conector subrayado por otro equivalente de los tres que aparecen entre paréntesis.

— Se encontrará con algo muy diferente (**MUY PARECIDO - MUY DISTINTO - MUCHO MEJOR**) en nuestros aviones.

— Pues (**PUESTO QUE - POR ELLO - ESO DEMUESTRA QUE**) aquí todos los clientes son preferentes.

— Nuestras económicas tarifas no se parecen en nada a (**NO TIENEN NADA QUE VER CON - NO CREO QUE SUPEREN A - SON PREFERIBLES A**) las que existen actualmente en el mercado.

— Todo esto demuestra que (**PORQUE - RESULTA EVIDENTE QUE - DADO QUE**) somos competentes.

VIÑETA N°4, pág. 182

preferente   turista

b) La frase "todos los clientes son preferentes" hace referencia a la clase preferente de un avión. ¿Cuáles son las demás clases en un avión? ¿Qué otros términos del léxico del transporte aéreo encuentra usted en este texto? ¿Conoce el significado de todos?

vuelos regulares   *tarifas   mercado   suplementos   puntos de venta*
servicio a bordo   *flota de aviones*
preferente   *una un   compañía aérea   aeropuertos*

c) La publicidad suele usar frases con doble sentido, tratando de buscar el ingenio.

bienvenidos a bordo / abordar   *flota pesquera*
                                          de barcos, buques

EJEMPLO
Un vuelo regular que marca las distancias

de largo recorrido
= que no es local

Significado 1	Significado 2
Un vuelo regular que une lugares distantes.	Un vuelo regular mejor que el de otras compañías aéreas; las deja atrás.

tarjeta de embarque

¿Cuáles son los dos significados de la expresión **Llegue a París en un vuelo**?

Utilice conectores comparativos o de consecuencia para su respuesta. (Como en el ejemplo anterior.)

auxiliar de vuelo / piloto

d) Los anuncios publicitarios son, en general, muy expresivos. Su técnica consiste en jugar con el doble significado de muchas palabras o expresiones. Invente usted algunos textos publicitarios, utilizando conectores estudiados en esta unidad.

chaleco salvavidas   *precio competente*
cinturón de seguridad   *= competitivo*
máscara de oxígeno   *despegar, aterrizar*

segunda etapa
COMPRENSIÓN ORAL   Acento andaluz

Los españoles y su compromiso social

a) Estas frases las ha oído en la grabación. Complételas con las palabras y expresiones del recuadro.

–Dicen que los españoles tenemos fama de ser ciudadanos poco ....*comprometidos*.... con la sociedad, ...*pero*.... esto no es verdad. ....*No hay comparación*.... Por ejemplo, pocas naciones se movilizan ....*tanto como*.... la nuestra en la aportación de alimentos a países del Tercer Mundo.

–Yo creo que si este país tiene fama de poco solidario es ....*porque*.... ve que sus acciones colectivas no son .....*eficaces*...... .

– Denunciar un robo, un abuso sexual, presentarse como ....*testigo*...., acaban causando .....*tantas*...... molestias, ...*que*.... los ciudadanos no lo vuelven a hacer.

– ....*Es evidente*...., pues, que la culpa no es del ciudadano, sino de las *instituciones*.

> tanto como / comprometidos / instituciones / pero / es evidente
> tantas... que / No hay comparación posible / testigo / eficaces / porque

b) Subraye la respuesta correcta:

– Hay sectores de la población que luchan por conseguir que el gobierno destine:

más del 0,7 del PIB / el 0,7 del PIB / menos del 0,7 del PIB.

– Los últimos datos sobre donación de órganos para trasplantes sitúan a España:

en el primer lugar del mundo / en el tercer lugar del mundo / en el último lugar.

– Se donan .... número de pulmones, corazones, riñones o hígados que la media de la Unión Europea.

dos veces más / el mismo / dos veces menos.

tercera etapa
EXPRESIÓN ORAL

a) ¿El horario español es el mejor del mundo?

> ✔ - Se empieza a trabajar sobre las 9 de la mañana.
> ✔ - En general, por la mañana se trabaja hasta las 2.
> ✔ - La comida suele ser de 2 a 3.
> ✔ - Por las tardes, los comercios abren de 5 a 8 o a 9 de la noche.
> ✔ - En verano, se tiene la tarde libre generalmente, por lo que es posible echarse la siesta.
> ✔ - La gente cena tarde, a las 9 o a las 10 de la noche, y no se acuesta hasta las 11 o las 12.

● Compare este horario con el de otro país. ¿Cuál prefiere y por qué?

● Busque una costumbre o una particularidad de su propio país que sea muy diferente a otra de España. ¿Cuál prefiere?

[anotación manuscrita: Resulta la falta de dinero, para pagar para los servicios *]*

b) Las consecuencias

Cada alumno deberá sacar una consecuencia de la noticia que aparece en este recorte de periódico. Observe el ejemplo realizado sobre otra noticia:

El paro se ha instalado en nuestra sociedad
ESPAÑA . EFE
El paro, esa lacra social que nos ha llegado a deter

liberación de la mujer es un hecho cierto
ESPAÑA . EFE
La mujer ya puede decir sin temor a caer en

— *Como consecuencia, aspira a tener un trabajo, un estatuto y un salario igual que el hombre.*
— *Por eso, considera que el momento de tener hijos depende sobre todo de ella.*
— *Por consiguiente, exige ser tratada de la misma manera que el hombre en todos los casos.*

[anotación manuscrita: por siguiente hay que necesitamos personas que quedar hay tener derecho de punto puesto *]*

c) Compre la mejor bicicleta.

UBE ESCALERAS

Bicicleta para subir escaleras.
Gracias a este nuevo modelo, se acabaron los obstáculos en ciudad. Y si vive usted en un piso, ya no será necesario bajarse de la bici hasta la misma puerta de su hogar.

APISONADORA

Bicicleta apisonadora.
Sea práctico haciendo deporte. Con esta bicicleta conseguirá allanar los caminos por los que usted suele circular. Además muchos otros deportistas se lo agradecerán.

SIMÉTRICA

Bicicleta simétrica.
Está pensada especialmente para circular indistintamente en los dos sentidos. Ya no es necesario girar la bicicleta cuando desee regresar, así se ahorrará esfuerzos inútiles.

[anotación manuscrita: Cambiar el sistema de trabajo. ratos de *]*

● ¿Qué bicicleta le parece más original?

[anotación manuscrita: empleo seran cortes mas. Los hombres necesitan aprender los sin techo el mundo laboral *]*

cuarta etapa
EXPRESIÓN ESCRITA

a) Una las siguientes frases independientes, primero mediante un conector de causa y después con uno de consecuencia:

[anotación manuscrita: 'La Farola' reciclarse laboralmente *]*

AYUDA

- La frase que lleva el conector causal puede ir delante o detrás de la principal.
- Pero si el conector es **COMO** entonces debe ir delante.

COMO *la monarquía española jugó un papel decisivo en la transición, los partidos políticos valoran la figura del Rey.*

- La frase que lleva el conector de consecuencia siempre va después de la principal.

Pienso, **LUEGO** *existo.*

No se realizan demasiados actos solidarios. La gente está decepcionada.

- **DADO QUE** *la gente está decepcionada, no se realizan demasiados actos solidarios.*
  causa
- *La gente está* **TAN** *decepcionada* **QUE** *no se realizan demasiados actos solidarios.*
  consecuencia

[anotación manuscrita: Contrato de empleo *]*

Cuanto mayor seamos *tanto más* *tendremos en consecuencia*

- Somos competentes. La fidelidad de nuestros clientes es cada vez mayor.
- La suerte le visitó muchas veces. No sabía qué hacer con el dinero.
- Decidió viajar en tren. Ninguna compañía aérea le convenció. *Luego, decidió*
- Los idiotas no pueden ser hipócritas. La hipocresía exige cierto grado de inteligencia. *dado que*

b) Las siguientes frases son comparativas de superioridad o de inferioridad. Transfórmelas en otras de igualdad. Tenga en cuenta que el primer término del conector de igualdad puede variar según el contexto.

EJEMPLO

Las pequeñas compañías aéreas tienen MÁS problemas en los aeropuertos QUE las grandes.
Las pequeñas compañías aéreas tienen TANTOS problemas en los aeropuertos COMO las grandes.

- El cambio de hora en el vuelo a Madrid motivó más protestas que en el de Málaga.
- El billete de avión a La Habana en octubre me costó menos que el de Barcelona en Navidad.
- Algunas agencias de viajes venden más pronto las ofertas de invierno que las de verano.

c) Una comparativa de igualdad en forma negativa equivale normalmente a una comparativa de inferioridad. Rellene este cuadro siguiendo el modelo.

Comparativa de igualdad negativa	Comparativa de inferioridad
En España no hay tanta conciencia ecológica como en otros países.	En España hay menos conciencia ecológica que en otros países.
La monarquía española no es tan antigua como la inglesa.	
	El crecimiento de la población ha sido menor que el de otros años.
	Nuestra compañía tiene menos oficinas en España que en el resto de Europa.

d) ¿Hamburguesa o bocadillo de jamón?

Haga una comparación por escrito de estos productos, y señale cuál prefiere.

un bocadillo

meta

compare y escoja

Este ejercicio está pensado para realizarse a lo largo de 2 sesiones de clase

unidad 2

Práctica oral en grupo globalizadora del objetivo de la unidad: exponer y explicar (describir, comparar, expresar las causas y las consecuencias).

Desarrollo del ejercicio

La finalidad es discutir cuál es la mejor opción de un tema, comparándola con las demás.

1ª sesión:

1. La clase deberá elegir a mano alzada uno de los siguientes temas: (5 minutos)
  A. ¿Cuáles son las mejores vacaciones?
  B. ¿Cuál es el mejor tipo de alojamiento para un estudiante?
  C. ¿Cuál es el mejor medio de transporte por ciudad?

2. Se forman cinco grupos de alumnos y cada grupo escoge una de las opciones del tema seleccionado. (El profesor indicará las opciones). (5 minutos)

3. Los grupos preparan un conjunto de argumentos con el que defender su opción. (20 minutos)

4. Se escoge un portavoz de cada grupo y los cinco discuten delante de todos los asistentes. (5 minutos)

5. Se decide por votación quién ha sido más convincente. (2 minutos)

2ª sesión:

1. Los grupos se reúnen para revisar sus argumentos. Deben tener en cuenta lo que hicieron bien y mal en la sesión anterior, para rectificar, ampliar o matizar sus argumentos. (5 minutos)

2. Cada grupo envía un segundo portavoz (diferente al primero) para que los cinco vuelvan a discutir delante de toda la clase. (5 minutos)

3. Se decide por votación quién ha sido más convincente. (2 minutos)

4. Este proceso se repite tres veces más para que todos los alumnos intervengan. (36 minutos)

Normas para la exposición

- Exponer las ventajas de la opción elegida.
- Prever los inconvenientes para poderlos rebatir.
- Sacar las consecuencias positivas de elegir esa opción.
- Indicar las consecuencias negativas de las demás.

LA MENTE

en boca de todos
Frases hechas y expresiones figuradas

a) Andar como Pedro por su casa.
b) Estar como un tren.
c) Estar como sardinas en lata.
d) Estar como un roble. *oak*
e) Estar como una moto. *moturbike*
f) Estar tan claro como el agua.
g) Funcionar como un reloj.
h) Hacer algo como quien no quiere la cosa.
i) Llevarse como el perro y el gato.
j) Moverse como pez en el agua.
k) Ponerse como una sopa.
l) Ser como Dios manda.
m) Ser tan alto como la copa de un pino.
n) Ser tan grande como una casa.
ñ) Venir como agua de mayo.

o) Estar más sordo que una tapia.
p) Ponerse más contento que unas castañuelas / unas Pascuas.
q) Ser (algo) más largo que un día sin pan.
r) Ser más bonito que un San Luis.
s) Ser más bruto que un arado.
t) Ser más falso que Judas.
u) Ser más feo que Picio.
v) Ser más listo que el hambre.
w) Ser más malo que un demonio.
x) Ser más pesado que el plomo / que una vaca en brazos.
y) Ser (algo o alguien) más viejo que Matusalén.

PRAGMÁTICA DE LA COMUNICACIÓN

UNA IMAGEN VALE +

Los gestos de las manos apoyan una exposición oral. Son muy importantes, sobre todo en un discurso. Observe los dibujos y relaciónelos con el mensaje que emiten.

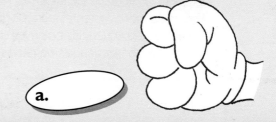

a.

A Relacione las expresiones de igualdad con las explicaciones que siguen.

1. Estar muy acelerado anímicamente.
2. Ser muy atractiva físicamente una persona.
3. Ser (algo) muy grande.
4. Llevarse mal dos personas.
5. Mojarse mucho.
6. Se dice de una persona o cosa bien recibida porque se espera y se desea mucho.
7. Comportarse en un sitio como en su propia casa.
8. Ser (alguien o algo) como debe ser.
9. Estar alguien muy fuerte.
10. Ser (algo) muy evidente y manifiesto.
11. Hacer algo muy bien, con exactitud y precisión.
12. Estar muy apretados.
13. Hacer algo con mucha facilidad.
14. Desenvolverse en un sitio sin problemas.
15. Ser (alguien) muy alto.

B Entre las expresiones de superioridad aparecen cuatro nombres propios que corresponden a personajes históricos. Relacione cada una con las siguientes reseñas biográficas.

Desdichado zapatero granadino que vivió en la primera mitad del siglo XIX. Fue condenado a muerte injustamente, y, aunque el indulto llegó a tiempo, el susto y el sufrimiento hicieron que perdiera el cabello y se le llenara la cara de granos.

Fue uno de los doce apóstoles de Jesucristo, y quien lo traicionó por treinta monedas de plata. Llevó a sus captores al Huerto de los Olivos y lo delató dándole un beso.

Personaje bíblico que, según el Génesis, vivió novecientos setenta y nueve años. Hay que tener en cuenta, lógicamente, que los años no se contaban en aquel entonces como en la actualidad.

Rey de Francia que fue posteriormente canonizado. La referencia a la belleza sería, en un principio, de tipo moral.

C ¿Por qué cree que se dice ser más listo que el hambre?

el lenguaje de las manos

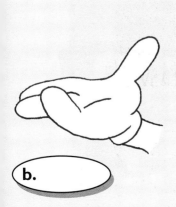
b.

c.

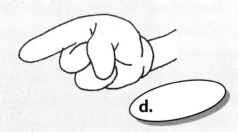
d.

I. DESEO DE COMUNICAR
2. CONVICCIÓN
3. DESEO DE CLARIDAD / PUNTUALIZACIÓN
4. AMENAZA

¿QUÉ ME DICES?

Objetivo

Formular preguntas, preguntar la opinión
y pedir explicaciones.

Salida

¿Cuáles son las clases de preguntas?

VIÑETA Nº5, pág. 183

A
Cerrada
De respuesta sí o no (o cerrada)

B
Abierta
De respuesta variada

C
Alternativa
Propone dos opciones, tan neutral la una como la otra

D
De elección múltiple
Propone una elección entre varias opciones muy diferentes

E
Contrapregunta
Responde a una pregunta con otra pregunta

F
Rebote
Consiste en devolver la pregunta a un tercero

G
Espejo
Consiste en reformular una objeción con una pregunta

H
Control
Verifica las motivaciones del interlocutor

1 ¿Dónde está el mando a distancia? — Oye, nena, ¿dónde está el mando a distancia?

2 ¿Cómo te llamas, guapo?

3 ¿Qué tal las vacaciones? — ¿Y las tuyas?

4 ¿Es un estrella, un avión o un platillo volante?

5 Entonces, ¿le va mejor que nos veamos el jueves a las 10 de la mañana o el viernes a las 3 de la tarde?

6 No me va a llamar, ¿verdad? — ¿Tú crees que no te va a llamar?

7 ¿Me quiere?, ¿no me quiere?

8 En resumen, ¿ustedes quieren un coche bueno, bonito y barato?

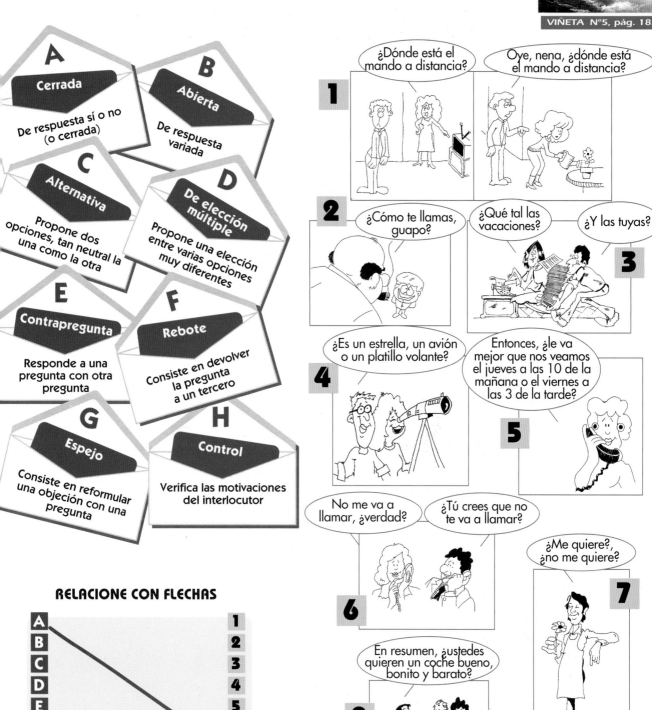

RELACIONE CON FLECHAS

A	1
B	2
C	3
D	4
E	5
F	6
G	7
H	8

Salida

uso de la lengua

¿Cómo se construyen las preguntas directas?

Una pregunta directa en español tiene dos reglas formales:

-Signos de interrogación al principio y al final (**¿?**).
-**Tilde** en los conectores tónicos (**QUÉ**, **QUIÉN**, **DÓNDE**, **CÓMO**, **CUÁNDO**, **CUÁNTO**, **POR QUÉ**, etc.).

EJEMPLO

*¿**QUÉ** piensa usted del cambio político?*

Las preguntas directas se construyen con...

1 Conector tónico	**2** Preposición + Conector tónico	**3** Verbo	**4** Sustantivo + Fórmula de cortesía
¿DÓNDE?, ¿ADÓNDE?	¿EN DÓNDE?, ¿DE DÓNDE?, ¿HACIA DÓNDE?, etc.	—En presente: ¿PUEDES DECIRME...? ¿LE IMPORTA...?	¿Los servicios, **POR FAVOR**?
¿CÓMO?	¿A CÓMO?	—En pasado: ¿TE ENTERASTE DE...?	
¿CUÁNDO?	¿DESDE CUÁNDO?, ¿HASTA CUÁNDO?, etc.	—En futuro: ¿SABRÁS QUE...?	**5** Fórmula de cortesía + 1, 2, 3 ó 4
¿CUÁNTO/A/OS/AS?	¿A CUÁNTO?, ¿EN CUÁNTO?, ¿CON CUÁNTO?, etc.	—En condicional: ¿PODRÍAS DECIRME...? ¿LE IMPORTARÍA...?	POR FAVOR, ¿los servicios?
¿CUÁL?, ¿CUÁLES?	¿DE CUÁL?, ¿CON CUÁL?, ¿EN CUÁL?, ¿POR CUÁL?, etc.	—Con una perífrasis verbal: ¿ACABAS DE ...? ¿TENGO QUE...?	PERDONA / PERDONE DIME / DÍGAME (POR FAVOR)
¿QUÉ?	¿A QUÉ?, ¿CON QUÉ?, ¿DE QUÉ?, ¿EN QUÉ?, etc.	—Con una expresión idiomática: ¿ES QUE...?	DISCULPA / DISCULPE PERMÍTEME / PERMÍTAME SI ERES / ES TAN AMABLE
¿QUIÉN?, ¿QUIÉNES?	¿A QUIÉN?, ¿CON QUIÉN?, ¿DE QUIÉN?, etc.		SI NO TE / LE IMPORTA, etc.

¿Cómo se construyen las preguntas indirectas?

Una pregunta indirecta en español tiene tres reglas formales:

-No tiene signos de interrogación ni al principio ni al final.
-Tiene un verbo introductorio (preguntar, pedir, suplicar, saber, desconocer, ignorar, etc.).
-Puede llevar un conector tónico o el conector átono **SI**. En ambos casos los conectores pueden ir precedidos de la conjunción **QUE**.

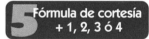

EJEMPLOS

*Me ha preguntado (que) **QUÉ** piensa usted del cambio político.*
*Me ha preguntado (que) **SI** prefiere usted el jersey de lana.*

Al transformar una pregunta directa en indirecta se mantiene el mismo conector tónico.
Pero si no tenía conector tónico, entonces se pone el conector átono **SI**.

EJEMPLOS

¿DÓNDE está el mando a distancia del televisor?
(Pregunta directa con conector tónico)

Me ha preguntado que DÓNDE está el mando a distancia del televisor.
(Pregunta indirecta)

¿Prefiere usted el jersey de lana? (Pregunta directa sin conector tónico)

Me ha preguntado (que) SI prefiere usted el jersey de lana. (Pregunta indirecta)

uno | Observe las siguientes preguntas directas. Están organizadas según su función.

Preguntar la opinión

QUÉ OPINAS?
QUÉ PIENSAS / DICES DE ESO?
Y A TI QUÉ TE PARECE?
CUÁL ES TU OPINIÓN / TU PARECER?
TÚ QUÉ OPINAS / PIENSAS?
¿QUÉ TE HA PARECIDO?
¿Y TÚ QUÉ DICES?
¿NO TIENES NADA QUE DECIR?
¿(HAY) ALGUNA OBJECIÓN?
¿ALGO QUE AÑADIR?
EN TU OPINIÓN, ¿QUÉ ES MEJOR?
¿CÓMO LO VES?
¿QUÉ TE GUSTA MÁS?

Pedir explicaciones o precisiones

¿PUEDO PREGUNTARTE...?
¿CÓMO EXPLICAS TÚ...?
¿PODRÍAS DECIRNOS / INDICARNOS / EXPLICARNOS...?
¿PODRÍAS PRECISAR?
¿SABES SI...?
¿QUÉ ME PUEDES DECIR DE...?
¿SABES ALGO ACERCA DE...?
¿TE HAS ENTERADO DE QUE...?
¿ESTÁS AL CORRIENTE DE...?

Preguntar a uno si está de acuerdo

¿CONFORME?
¿VALE?
¿(ESTÁS) DE ACUERDO?
¿A FAVOR DE CUÁL ESTÁS?
¿OPINAS COMO YO?
¿COINCIDES CONMIGO / CON MI PUNTO DE VISTA?
¿ESTÁS CONMIGO?
¿VALE LA PENA?

¿Dónde clasificaría estas otras?

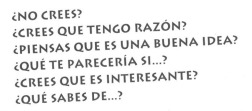

¿NO CREES?
¿CREES QUE TENGO RAZÓN?
¿PIENSAS QUE ES UNA BUENA IDEA?
¿QUÉ TE PARECERÍA SI...?
¿CREES QUE ES INTERESANTE?
¿QUÉ SABES DE...?

¿ALGO QUE OBJETAR?
¿TE HAS DADO CUENTA DE QUE...?
¿PUEDES ACLARAR EL PUNTO / LO DE...?
¿QUÉ IMPRESIÓN HAS SACADO?
¿PODRÍAS PONER ALGÚN EJEMPLO?
¿QUÉ PREFIERES?

dos | Busque alguna pregunta, entre las que sirven para pedir opinión, que obligue a hablar a alguien que lleva un rato callado.

tres | Entre las preguntas que sirven para averiguar si uno está de acuerdo hay muy pocas que sean abiertas. Diga cuáles son.

COMPRENSIÓN ESCRITA

Una visita inesperada

LA MUERTE: ¡Dios Santo! Casi me rompo el cuello.

NAT *(observando perplejo)*: ¿Quién es usted?

LA MUERTE: La Muerte. Escuche... ¿puedo sentarme? Casi me rompo el cuello. Estoy temblando como una hoja.

NAT: ¿Quién?

LA MUERTE: La Muerte. ¿No tendría un vaso de agua?

NAT: ¿La Muerte? ¿Qué quiere decir... La Muerte?

LA MUERTE: ¿Qué diablos le pasa? ¿No ve mi traje negro y mi rostro blanco?

NAT: Sí.

LA MUERTE: Entonces soy La Muerte.

Ahora bien. ¿Podría darme un vaso de agua... o un agua tónica?

NAT: Si se trata de una broma...

LA MUERTE: ¿Qué clase de broma? ¿Tiene cincuenta y siete años? ¿Nat Ackerman? ¿Calle Pacific 118? A menos que me haya equivocado... ¿dónde habré dejado el papel? *(Se revisa los bolsillos hasta que saca una tarjeta con una dirección. La verifica).*

NAT: ¿Qué quiere conmigo?

LA MUERTE: ¿Que qué quiero? ¿Qué le parece que quiero?

NAT: Debe de estar bromeando. Estoy en perfecto estado de salud.

Texto de Woody Allen. *Cómo acabar con la cultura.* Ed. Tusquets.

a) ¿A qué clase de preguntas pertenece cada una de las que aparecen en este texto?

b) Ahora clasifique todas las preguntas donde les corresponda.

Introducidas por un conector tónico	Introducidas por un verbo

 c) Transforme todas las preguntas del cuadro en otras iguales pero que vayan introducidas por fórmulas de cortesía.

> **EJEMPLO**
>
> *¿Quién es usted? = Perdone. ¿Le importaría decirme quién es usted?*

d) Imagine que ve usted a La Muerte hablando con alguien por teléfono. Se queda a escucharla un momento y oye lo siguiente:

VIÑETA Nº6, pág. 183

Interlocutor: ....

La Muerte: Sí, ya se lo he dicho.

Interlocutor: ....

La Muerte: No. Esto es muy serio.

Interlocutor: ....

La Muerte: Porque he abierto la guía telefónica y he marcado su número al azar.

Interlocutor: ....

La Muerte: Dígame su dirección y en seguida estoy con usted.

Interlocutor: ....

La Muerte: No es necesario. Allá donde vamos no necesita nada.

Interlocutor: ....

La Muerte: No lo sé.

Interlocutor: ....

La Muerte: Tampoco lo sé. Deje de hacer preguntas y dígame su dirección.

¿Qué preguntas cree usted que le ha hecho el interlocutor?

COMPRENSIÓN ORAL   `Acentos mexicano y neutro`

En la zapatería

 a) Señale con una cruz la respuesta correcta a las siguientes preguntas, referentes al texto escuchado:

● **¿Cuál es la primera pregunta que hace la vendedora?** ————————

☐ ¿Qué quiere?   ☐ ¿Qué desea?   ☐ ¿En qué puedo servirle?   ☐ ¿Qué deseaba?

● **¿Cómo son los zapatos que quiere el comprador?** ————————

☐ Negros del 40.   ☐ Rojos del 42.   ☐ Negros del 42.   ☐ Rojos del 40.

● **¿Cuál es la única frase que dice Juan?** ————————

☐ No hay.   ☐ No tenemos.   ☐ No queda.   ☐ Se han acabado.

● **¿Qué dice el comprador al ver el nuevo zapato?** ————————

☐ ¿No es más estrecho?   ☐ ¿No es más oscuro?   ☐ ¿No es más grande?   ☐ ¿No es más feo?

● **¿Qué pregunta hace el comprador para saber el precio?** ————————

☐ ¿Cuál es el precio?   ☐ ¿Cuánto es?   ☐ ¿A cómo van?   ☐ ¿Cuánto valen?

b) ¿Cómo pide el comprador un calzador? ¿De qué otras maneras podría haberlo hecho?

c) Relacione con flechas las preguntas de la vendedora con las respuestas del comprador. Entre estas últimas hemos incluido algunas que no se han dicho.

VENDEDORA

1. ¿Desea usted que le enseñe un modelo parecido?
2. ¿Así que usted busca un zapato cómodo y a buen precio?
3. ¿Qué le parece?
4. ¿Quiere que le ayude?

COMPRADOR

- No me gusta mucho.
- Es casi igual que el otro.
- No, muchas gracias.
- Es muy bonito también.
- Efectivamente.
- Muy bien.
- De acuerdo.
- Sí, por favor.
- Eso es.

tercera etapa
EXPRESIÓN ORAL

a) ¿Qué desea?

En este ejercicio un alumno se pone delante de la clase y hace el papel de comprador. Se supone que ha entrado en una tienda y desea adquirir uno de los objetos que hay dibujados, pero no recuerda el nombre. Tratará de describirlo lo mejor posible. El compañero que adivine el nombre saldrá para hacer lo mismo con otro objeto.

b) La suma de los síes

La suma de los síes consiste en hacerle a alguien una serie de preguntas encadenadas, cuya respuesta sabemos que va a ser "sí". Sirven para que en el último momento nuestro interlocutor se vea incapaz de decir "no". Observe el ejemplo:

EJEMPLO

- ¿Qué hora es? ¿Son las dos?
- Sí, son casi las dos.
- ¿Verdad que hace calor aquí?
- Sí, bastante.
- ¡Anda!, pero ¿tú no eres el hermano de Juan?
- Sí, sí soy yo.
- Os parecéis mucho, ¿no?
- Sí, eso dicen.
- ¿Así que trabajamos juntos y no lo sabíamos?
- Pues sí, fíjate.
- Oye, me parece que además también vives en el centro de la ciudad, ¿no es así?
- Sí, sí, allí vivo.
- Ya que nos conocemos, ¿te podría pedir un favor?
- Sí, hombre.
- ¿Me podrías bajar en coche después del trabajo? Es que el mío está estropeado.
- Sí, ¡cómo no!

A continuación, la clase se dividirá en parejas. Durante 5 minutos cada pareja preparará una "suma de síes". Después, como máximo durante 1 minuto, uno hará las preguntas y el otro responderá delante de toda la clase. El objetivo será pedir prestadas 10.000 pesetas.

Después la clase decidirá qué pareja lo ha hecho mejor.

c) Pregunta / contrapregunta

A veces, en una entrevista, el entrevistado suele responder con otra pregunta para evitar decir la verdad. Esto ocurre sobre todo si las preguntas son comprometidas o si tocan el terreno personal.

Este ejercicio consiste en simular, por parejas, una entrevista a alguna persona famosa.
Uno hará el papel de entrevistador y el otro de entrevistado.
No se trata de improvisar, sino de preparar entre los dos las preguntas y las respuestas (muchas de éstas han de ser contrapreguntas). Para ello dispondrán de 5 minutos.
Después se expondrán oralmente todas las entrevistas delante de la clase. Las exposiciones no deben durar más de 2 minutos.

cuarta etapa
EXPRESIÓN ESCRITA

a) Existen unas preguntas directas, muy usadas en argumentaciones escritas y orales, cuya respuesta es casi innecesaria (por evidente). Se suelen llamar **interrogaciones retóricas**.

> **EJEMPLO**
>
> *¿Hay alguien que voluntariamente quiera ser desgraciado?*

Invente cinco interrogaciones retóricas acerca de temas variados.

b) El Libro de las preguntas, del poeta chileno Pablo Neruda (1904-1973), tiene 74 poemas escritos todos a base de preguntas directas. Transforme los siguientes versos de este libro en preguntas indirectas.

> **EJEMPLO**
>
> *¿Hay algo más tonto en la vida que llamarse Pablo Neruda?*
> *Pregunto (que) si hay algo más tonto en la vida que llamarse Pablo Neruda.*

VERBOS INTRODUCTORIOS
preguntar
pedir
suplicar
saber
desconocer
ignorar

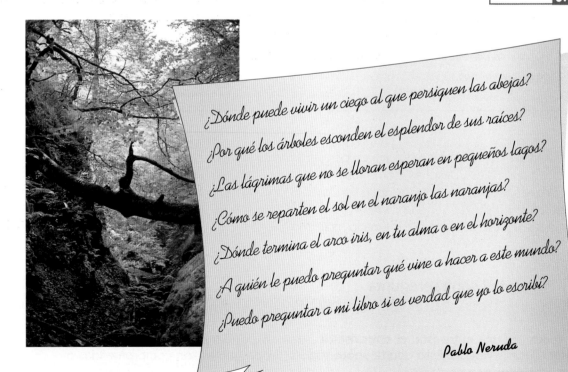

¿Dónde puede vivir un ciego al que persiguen las abejas?

¿Por qué los árboles esconden el esplendor de sus raíces?

¿Las lágrimas que no se lloran esperan en pequeños lagos?

¿Cómo se reparten el sol en el naranjo las naranjas?

¿Dónde termina el arco iris, en tu alma o en el horizonte?

¿A quién le puedo preguntar qué vine a hacer a este mundo?

¿Puedo preguntar a mi libro si es verdad que yo lo escribí?

Pablo Neruda

c) ¿Qué cinco preguntas le haría usted a su artista favorito? Imagine también las respuestas y luego redacte un texto explicando lo que le preguntó y lo que respondió (siempre en forma indirecta).

meta

la entrevista personal

Práctica oral en grupo globalizadora del objetivo de la unidad: formular preguntas, preguntar la opinión y pedir explicaciones.

Desarrollo del ejercicio

1. Tema de la entrevista: una persona ha leído el anuncio de trabajo que aparece en esta página y ha enviado su *curriculum vitae* a la dirección señalada. El director de dicha empresa le ha citado para hacerle una entrevista.

2. Particularidad de la entrevista: el aspirante debe ser admitido en la empresa, pero para un trabajo diferente del que se anuncia, bien porque el director le convence de que sirve para otra cosa, bien porque el aspirante demuestra que es muy bueno para otro puesto distinto.

3. La clase se divide por parejas.

4. En cada pareja uno hace de director-entrevistador y otro de aspirante-entrevistado, pero los dos juntos preparan las preguntas y las respuestas. (15 minutos)

5. Las entrevistas deberán tener todas 10 preguntas.

6. Cada pareja se pone delante del resto de la clase para escenificar la entrevista. (Tiempo de exposición: 2 minutos)

7. Al final, se vota qué entrevista ha sido la mejor elaborada y escenificada.

Normas para la entrevista

– Preparar preguntas breves y concretas.

– Preguntar con claridad y precisión.

– Dejar el tiempo necesario para que el entrevistado responda. Y aprovechar sus respuestas para encadenar otras preguntas y dirigirlo hacia el terreno que queremos.

– No hacer dos preguntas a la vez, excepto si la pregunta es de elección múltiple o alternativa.

– Tratar siempre de usted al entrevistado.

LA MENTE

en boca de todos
Frases hechas y expresiones figuradas

trabajar

a) Arrimar el hombro.
b) Romperse los cuernos.
c) No dar abasto.
d) Ser un burro de carga.
e) Trabajar como un burro.
f) Ponerse manos a la obra. /
   ¡Manos a la obra!
g) Trabajo de chinos.

no trabajar

h) Comer la sopa boba.
i) No dar (ni) golpe.
j) Tirarse / tumbarse /
   echarse a la bartola.
k) No dar (ni) un palo al
   agua.
l) Quedarse de brazos
   cruzados.
m) Vivir del cuento.

A Relacione las expresiones anteriores con las explicaciones que siguen. Entre paréntesis se indica el número de expresiones que pueden definirse con esa explicación.

1. Esforzarse, trabajar muy duramente. (2)
2. Holgazanear, trabajar muy poco o nada cuando se debería hacerlo. (4)
3. Estar desbordado por un exceso de trabajo y no poder hacerlo todo.
4. Se llama así al trabajo muy complicado y detallista.
5. Ser una persona laboriosa y de mucho aguante.
6. Comenzar o reanudar un trabajo. También puede decirse sin el verbo.
7. Colaborar en el trabajo; acercarse a otra persona y ayudarla.
8. Vivir bien y sin trabajar.
9. Comer sin trabajar y sin hacer ningún esfuerzo por conseguir la comida.

PRAGMÁTICA DE LA COMUNICACIÓN

UNA IMAGEN VALE +

En posición sentada, el alejamiento o el acercamiento, la disposición de las piernas, expresan nuestros estados de ánimo, así como los diferentes cambios de postura.

a. **Si los pies no están en contacto uno con otro** quiere decir que la persona no necesita protegerse del mundo exterior.

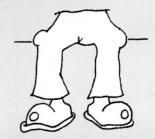

B Rellene los espacios en blanco con la expresión figurada más adecuada de trabajar y no trabajar.

FÁBULA

Había una vez una hormiga que se levantaba muy temprano todas las mañanas para ir a buscar grano a las eras. Siempre hacía el mismo camino y siempre se encontraba a su vecina la cigarra subida a un árbol y cantando sin parar. Mientras la hormiga ....
para llevar a su casa todas las provisiones que podía, la cigarra se pasaba el día .... disfrutando del sol del verano.
–¡............................! –le gritaba la hormiga–.
Si me ayudas, después te recompensaré.
–Yo no soy ....
–contestaba la cigarra–. Yo soy una artista. ¿No oyes cómo canto?
–En invierno te arrepentirás. Si no reúnes un poco de grano ahora, no tendrás con qué alimentarte.
Pero la cigarra .... ,
como si no hablaran con ella.
Con la llegada de los primeros fríos, la hormiga se apresuraba a recoger los últimos granos de trigo y tenía tanto trabajo que no ....
con todo. Pero cuando los campos se cubrieron de nieve, la hormiga dio por finalizada su tarea y se preparó para pasar el crudo invierno.
Entonces llamó a su puerta la cigarra y le pidió cobijo.
–Tengo hambre y frío –le dijo apenada.
–¿Ahora vienes a pedirme comida? –respondió la hormiga–. Mientras yo no paraba de ...., tú te has pasado todo el verano ....
Y le cerró la puerta. La cigarra comprendió que no podía estar siempre ....

el lenguaje de las piernas y los pies

b.
Las piernas o los pies cruzados son un reflejo de defensa.

c. ¿Qué cree que puede significar un **pie que lleva el compás, se agita o se menea?**

Solución a c.

Es una señal de impaciencia.
Puede mostrar que uno se aburre o que quiere acelerar el ritmo para que acabe lo que se está haciendo.

PREPARACIÓN

DIPLOMA BÁSICO DE ESPAÑOL COMO LENGUA EXTRANJERA

MODELO 1

PRUEBA 1: COMPRENSIÓN DE LECTURA

A continuación encontrará un texto con una serie de preguntas. Marque la opción correcta.

Un minuto de risa relaja tanto como 45 minutos de yoga

La risa puede cambiar el concepto mismo de la medicina por su carácter preventivo, ya que actúa sobre los mecanismos de defensa del organismo inmunizándolo contra ciertas enfermedades. Es lo que piensa el psicólogo gallego José Elías, que usa la risa como método para tratar diversos trastornos psicopatológicos.

"La risa es una defensa de la naturaleza contra la infelicidad. Hasta ahora ha sido la medicina de los pobres. Baste pensar cuánto se ríen los desposeídos del Tercer Mundo. Es su antibiótico natural", explica Elías, añadiendo que tampoco es casual que los personajes más sabios, los más santos y espirituales, como los lamas del Tíbet, sonrían continuamente como un reflejo de la felicidad que les inunda.

Movido por estos pensamientos, Elías se fue, con su flamante licenciatura en Psicología, al Nepal, donde convivió con lamas famosos durante seis años. Ahora trabaja desde hace siete años en un centro terapéutico de Madrid y aboga por que la risa forme parte de la educación infantil.

"Hay que enseñar a los niños a que no repriman la risa, ya que un niño que no juega ni ríe debe ponernos en guardia".

La risa, según Mario Satz, terapeuta barcelonés, está considerada peligrosa porque, en el fondo, dice, "atenta contra el poder", porque lo ridiculiza, como bien aparece en la obra de Umberto Eco El nombre de la rosa. Y explica cómo en sus cursos los más reacios al uso de la risa como terapia son los mayores y las personas más importantes, "por temor a hacer el ridículo", mientras que los niños disfrutan con ella.

El psicólogo Elías subraya también que a las multinacionales de los medicamentos no les interesan estas terapias "que no cuestan dinero", y a los pacientes les parece demasiado barata para tomarla en serio.

Adaptado de *El País*

PREGUNTAS

1 La risa puede inmunizar contra todas las enfermedades.
a) verdadero   b) falso

2 En el texto, se dice que «la risa es una defensa natural contra la infidelidad».
a) verdadero   b) falso

3 El psicólogo gallego José Elías:
a) hizo su licenciatura de Psicología conviviendo con los lamas del Nepal.
b) obtuvo su licenciatura de Psicología al cabo de seis años.
c) después de haber obtenido su licenciatura, se fue al Tíbet.

4 Según Mario Satz, terapeuta barcelonés, algunos consideran que la risa es peligrosa porque:
a) puede provocar trastornos psicopatológicos.
b) puede atacar al poder, ya que lo ridiculiza.
c) puede poner en ridículo a los niños.

5 José Elías afirma que:
a) los pacientes piensan que la terapia basada en la risa les cuesta demasiado dinero.
b) las multinacionales no están interesadas en estas terapias.
c) las multinacionales de los medicamentos y los pacientes creen realmente en el poder de la risa.

PRUEBA 2: EXPRESIÓN ESCRITA

PARTE 1: CARTA

Redacte una carta de 150-200 palabras (unas 15-20 líneas). Comience y termine la carta como si ésta fuera real.

Su frigorífico ha sufrido una grave avería. Usted escribe una carta al Departamento de Atención al Cliente de la empresa que se lo ha vendido para hacer una reclamación. En la carta deberá:
- explicar lo sucedido;
- contar cómo y cuándo fue adquirido el frigorífico;
- indicar los daños ocasionados por la avería;
- reclamar una solución para su problema.

PARTE 2: REDACCIÓN

Escriba una redacción de 150-200 palabras (unas 15-20 líneas).
Cada vez es mayor la polémica entre fumadores y no fumadores. Unos piensan que se les priva de libertad y otros hablan de ataque contra la salud. Elabore un escrito en el que exprese:
- fumadores y no fumadores: sus derechos;
- algunos ejemplos que puedan apoyar estos argumentos;
- lugares donde fumar está o debería estar prohibido;
- su opinión ante este hecho y una breve conclusión.

PRUEBA 3: COMPRENSIÓN AUDITIVA

Escuche dos veces el texto. Después dispondrá de tiempo para seleccionar la opción correcta entre las siguientes.

PREGUNTAS

1 La azafata subió con su maleta en el DC-10.
a) verdadero   b) falso

2 Los controladores aéreos se asustaron por las obras del aeropuerto.
a) verdadero   b) falso

3 La azafata:
a) olvidó cerrar una puerta del avión.
b) estaba en medio de la pista con su maleta.
c) conducía un Twingo por la pista.

4 El piloto del Fokker 100:
a) se dio cuenta de que la puerta estaba abierta nada más aterrizar.
b) cerró la puerta y aterrizó.
c) tuvo que aterrizar con la puerta abierta.

5 Según la ejecutiva de servicio del aeropuerto:
a) saltaban chispas del cuadro de mandos del piloto del Fokker 100.
b) el piloto dio la alarma a la azafata.
c) el hecho de que la puerta estuviera abierta se reflejó en el cuadro de mandos del piloto.

PRUEBA 4: GRAMÁTICA Y VOCABULARIO

SECCIÓN 1: TEXTO INCOMPLETO

Complete el siguiente texto eligiendo para cada uno de los huecos una de las tres opciones que se le ofrecen.

Vender y alquilar pisos por Internet

Encontrar el ...1... que uno quiere no es una tarea banal. Como ayuda, la empresa española Intercom ha creado la primera base de datos inmobiliaria de ámbito nacional ...2... Internet, donde ...3... persona que entra en ...4... red puede insertar anuncios sobre las viviendas que quiera vender, comprar o alquilar, así como consultar la ...5... disponible en cada momento. Todo de forma gratuita.
La operación de venta o alquiler se hace de forma directa entre comprador y vendedor. Para ello, la persona que mete los datos deja su teléfono y una dirección de correo electrónico, ...6... los interesados podrán dirigirse para ampliar la información o llegar a un acuerdo.
Las búsquedas pueden ...7... de manera generalizada o selectiva, es decir, indicando el interés por una zona o por una banda de precios. Intercom tiene una plantilla de 70 personas y funciona por ...8... sistema de franquicias en Madrid, Barcelona, Sevilla, Las Palmas, Gerona y Alicante; en otras seis ciudades tiene...9... oficinas de atención ...10... público.

Adaptado de *El País*

1 a) planta
b) edificio
c) piso

2 a) en
b) sobre
c) de

3 a) cualquier
b) cualquiera
c) alguna

4 a) la
b) el
c) lo

5 a) demanda
b) oferta
c) ofrecimiento

6 a) donde
b) en que
c) de que

7 a) ponerse
b) volverse
c) hacerse

8 a) un
b) la
c) una

9 a) dispuestas
b) abiertas
c) disponibles

10 a) al
b) del
c) en

SECCIÓN 2: SELECCIÓN MÚLTIPLE

EJERCICIO 1

En cada una de las frases siguientes se ha marcado con letra **negrita y cursiva** un fragmento. Elija, entre las tres opciones de respuesta, aquélla que tenga un significado equivalente al del fragmento marcado.

1 - ¿Quieres un poco más de fruta?
- No, gracias, **no me apetece**.
a) no tengo ganas
b) no puedo comerla
c) no me gusta

2 Quería saber si puedes **echarme una mano**.
a) sujetarme
b) acompañarme
c) ayudarme

3 - Estoy harto de que **me tomes el pelo**.
- Perdóname, sólo estaba bromeando.
a) me tires del pelo
b) te burles de mí
c) me hagas perder el tiempo

4 - Clara está de mal humor porque anoche no ha podido **pegar ojo**.
- Es que vive en un barrio con mucho ruido.
a) leer
b) ver la televisión
c) dormir

5 - Pedrito, baja la basura.
- **No me da la gana**. ¿Por qué siempre tengo que ir yo?
a) No quiero.
b) No me agrada.
c) No es justo.

EJERCICIO 2

Complete las frases siguientes con el término adecuado de los dos o cuatro que se le ofrecen.

1 - ¿Dónde … la reunión de vecinos?
- Creo que en el piso de la señora Pérez.
a) fue   b) estuvo

2 - Mañana es el cumpleaños de Ana y no sé qué comprarle.
- Cómprale … cosa. Ya sabes que a ella le gusta todo.
a) cualquier   b) cualquiera

3 - Ayer vi a Julia y no tenía muy buen aspecto.
- Sí. Tiene problemas y … muy preocupada.
a) está   b) es

4 - Lo siento. Hoy no puedo ir contigo a la fiesta.
- Bueno, lo dejamos … otra ocasión.
a) por   b) para

5 - ¿Has visto a Ángel y a Pedro?
- No, no he visto a … de los dos.
a) alguno   b) ninguno

6 - Me gusta muchísimo esa mesa.
- Pues a mí no. No me gustan nada los muebles … cristal.
a) a   c) en
b) de   d) por

7 - ¿Vendrás a vernos mañana?
- … puedo, claro que sí.
a) Si   c) Aunque
b) En cuanto   d) Mientras

8 - ¿Llevaste a los niños al cine?
- Sí, y … encantó la película.
a) le   c) se
b) los   d) les

9 - Carlos es muy guapo, ¿verdad?
- ¿Sí? Pues a mí no me… parece.
a) la   c) le
b) lo   d) se

10 - ¿Sigues pensando en ir a Río de Janeiro?
- La verdad es que me … pasar una semana allí.
a) encantaría   b) encantará

11 - En cuanto …, dímelo.
- De acuerdo. No te preocupes.
a) viene   c) vendrá
b) venga   d) viniera

12 -… no te des prisa, llegamos tarde.
- Sí, ahora mismo voy.
a) Cuando   c) Como
b) Si   d) Puesto que

13 - ¿Cuántas personas van a venir a la fiesta?
- Solamente … hayan reservado entrada.
a) las que   c) las cuales
b) aquellas d) quien

14 - Voy a ir a la ciudad. ¿Quieres algo?
- Sí, por favor. Quiero que me … un disco.
a) traerás   c) traigas
b) traes   d) trajeras

15 - Por favor, no… las cosas ahí.
- Entonces, ¿dónde las pongo?
a) dejas c) dejar
b) dejes d) dejo

PRUEBA 5: EXPRESIÓN ORAL

SECCIÓN 1: PRESENTACIÓN DE UNA LÁMINA

Describa lo que sucede en las tres primeras viñetas, y en la cuarta póngase en el lugar de uno de los personajes y diga lo que él o ella diría en esa situación.

SECCIÓN 2: EXPOSICIÓN DE UN TEMA

Escoja un tema y haga una exposición durante dos o tres minutos. Los puntos que se le proponen son sugerencias para desarrollar libremente el tema.

TEMA 1: LA PUBLICIDAD

- ¿En qué aspectos es negativa la publicidad? ¿Y positiva?
- ¿Qué le molesta especialmente de la publicidad?
- ¿Compra usted sobre todo los productos que ve anunciados más a menudo?
- ¿Debería estar prohibida la publicidad en algunos casos? ¿En cuáles?

TEMA 2: EL OCIO

- ¿Se dispone de tiempo suficiente para el ocio?
- ¿Es necesario disponer de tiempo libre?
- ¿Se sabe hacer buen uso del ocio? ¿Hay que educar a la gente para el ocio?
- ¿Pueden o deben las autoridades competentes hacer propuestas para el ocio? ¿Por qué?

EL QUE PARTE Y REPARTE...*

Objetivo

Aprobar y rechazar argumentos del interlocutor.

* El que parte y reparte se lleva la mejor parte. *Refrán español.*

Salida

VIÑETA N°7, pág. 183

La energía nuclear

En contra	A favor

Estoy en contra de la energía nuclear de manera visceral. Tengo miedo de ella porque no conocemos las consecuencias a largo plazo.

Decir que la energía nuclear es más barata que otras energías **no tiene sentido**. Es quizás más barata de producir, pero las inversiones para ello son muy costosas.

No es verdad tampoco que lo nuclear nos permita ser energéticamente independientes, pues dependemos de la materia prima. La única manera de serlo sería diversificando las fuentes de energía y en particular utilizando la energía solar.

Pero sobre todo, para mí, el peligro que la energía nuclear nos hace correr **es inadmisible**. Pensemos en la catástrofe de Chernobyl y en las consecuencias que ha tenido sobre el entorno y las personas.

Y lo que **nunca jamás** sabremos son las consecuencias de los residuos nucleares[2] en la flora y la fauna, que ponen en peligro todo nuestro entorno.

En conclusión, puedo decir que el miedo que nos dan las centrales nucleares, el peligro que nos hacen correr y la contaminación que pueden acarrear nos obligan a pensar en otras fuentes de energía.

Por eso, estoy en **total desacuerdo** con la energía nuclear. No quiero, además, que nuestro país se transforme en un estado policial, cuyo objetivo principal fuera el de proteger tales centrales.

Pues yo estoy a favor de la energía nuclear porque el miedo a lo nuclear es irracional. Lo nuclear se puede controlar y, además, ¿quién está dispuesto a pagar la energía más cara?

Es obvio que esta energía nos garantiza la independencia nacional. Sin ella somos víctimas de las vicisitudes del mercado y de los que poseen los recursos energéticos[1].

Sin duda alguna otras energías pueden completar la energía nuclear (la energía solar, el carbón, el petróleo), pero no se puede volver hacia atrás. ¡Hay que progresar!

Por supuesto, el peligro de algún accidente en las centrales nucleares nunca podrá ser descartado. Pero, ¿cuántos muertos ha habido en las minas de carbón y a pesar de todo se ha seguido y se sigue utilizando el carbón?

Ni que decir tiene que las centrales nucleares contaminan menos que las otras energías y desde luego se llegará a encontrar una solución adaptada para proteger el entorno contra los residuos nucleares.

En conclusión, el agotamiento de las actuales fuentes de energía, la necesidad de una independencia energética, la comodidad de esta energía, hace que seamos unos partidarios incondicionales de la energía nuclear, aunque para ello sea necesario aplicar normas estrictas de seguridad.

Los adelantos tecnológicos siempre han dado miedo a la gente mal informada y no se puede parar el progreso si se quiere ir hacia un mundo mejor.

Léxico

[1] **recursos energéticos**: medios o maneras de producir energía.
[2] **residuos nucleares**: basuras, desechos de materiales nucleares.

¿Se le ocurre a usted algún argumento más a favor o en contra de la energía nuclear?

uso de la lengua

expresar la oposición

Cuando no estamos de acuerdo con nuestro interlocutor, podemos decírselo utilizando frases adversativas. En ese caso tenemos dos opciones:

● a) Aceptar parte de lo que dice, pero matizándolo.

> **EJEMPLO**
>
> *Otras energías pueden completar la energía nuclear (la energía solar, el carbón, el petróleo),* **PERO** *no se puede volver hacia atrás.*

● b) Rechazar lo que dice de manera absoluta, oponiendo la idea contraria.

> **EJEMPLO**
>
> *La energía nuclear no es más barata,* **SINO** *todo lo contrario, las inversiones para producirla son muy costosas.*

> **¡OJO!**
>
> *El conector* NO SÓLO... SINO (QUE) *no sirve para rechazar. Equivale al conector de unión* Y.
>
> *Las centrales nucleares* NO SÓLO *contaminan menos que las otras energías,* SINO QUE *además se llegará a encontrar una solución para proteger el entorno contra los residuos nucleares.*

uno Si le parece bien, dígalo.

Acuerdo débil o atenuado
(PUES) BUENO / CIERTO / CONFORME / CORRECTO / DE ACUERDO / EN EFECTO / EN ESE CASO / EN PRINCIPIO SÍ / LÓGICO / NO ESTÁ MAL / NORMAL / PODRÍA SER (COSAS MÁS DIFÍCILES HAY) / SÍ, SÍ / VALE

Acuerdo fuerte o reforzado
¡AHÍ, AHÍ! / ¡BUENA IDEA! / ¡CÓMO NO! / CON TODA SEGURIDAD / DESDE LUEGO (QUE SÍ) / ES INDUDABLE / ES OBVIO / ¡ESO ES! / ¡ESO, ESO! / EXACTO - JUSTO / MUY BIEN / ¡MUY BIEN DICHO! / ¡NATURALMENTE! / NI UNA PALABRA MÁS / ¡NO FALTABA MÁS! / NO SE HABLE MÁS (DEL ASUNTO) / PERFECTO / ¡POR DESCONTADO! / ¡(PUES) CLARO! / ¡SÍ, SEÑOR! / SIN DUDA (ALGUNA) / SIN LUGAR A DUDAS / ¡YA LO CREO! / ¡Y TANTO!

Acuerdo con implicación personal
COMPARTO TU PUNTO DE VISTA - TU IDEA - TU PARECER - TU OPINIÓN / ES LO QUE SIEMPRE HE DICHO / ESTOY A (TU) FAVOR / ESTOY CONTIGO / HAS DADO EN EL CLAVO / HAS PUESTO EL DEDO EN LA LLAGA / (LO) ACEPTO / ME GUSTA QUE ESTEMOS DE ACUERDO / ¡NI QUE LO DIGAS! / OPINO COMO TÚ - IGUAL QUE TÚ / SOY PARTIDARIO DE / TIENES RAZÓN / YO LO CREO ASÍ (TAMBIÉN)

● Con el conector ¡AHÍ, AHÍ! manifestamos nuestro acuerdo, pero sólo se usa en el lenguaje coloquial. ¿Qué otros conectores entre los anteriores son muy coloquiales?

unidad 4

● ¿En qué apartados situaría los siguientes conectores?

ASÍ ES / ES VERDAD / ME PARECE BIEN / SOY DE TU MISMA OPINIÓN /
¡POR SUPUESTO! / ¡EVIDENTEMENTE! / ¡SEGURO! / SI NO HAY MÁS REMEDIO /
PIENSO LO MISMO (QUE TÚ) / ¡NO CABE DUDA! / ES UNA BUENA IDEA /
NO HAY MÁS QUE HABLAR / ¿POR QUÉ NO? / ESTOY DE ACUERDO

dos Si no está de acuerdo, dígalo también.

Desacuerdo débil o atenuado

ESO NO ES ASÍ / ESO NO ES EXACTO / ESO NO SE PUEDE ACEPTAR /
ESO NO TIENE SENTIDO / NO, NO /
NADA MÁS LEJOS DE LA VERDAD / NO ES CIERTO /
NO ES VERDAD / NO PUEDE SER

Desacuerdo fuerte o reforzado

DE NINGUNA MANERA - NINGÚN MODO / EN NINGÚN CASO /
(ESO ES) IMPOSIBLE / ¡DE ESO NI HABLAR! / ¡ESO ES ABSURDO! /
¡ESO ES RIDÍCULO! / ¡ESO SÍ QUE NO! / ¡ESTARÍA BUENO! /
¡LO QUE FALTABA! / ¡NI HABLAR! / ¡NI MUCHO MENOS! /
¡NI PENSARLO! / ¡PERO BUENO! / ¡POR NADA DEL MUNDO! /
¡QUÉ VA (A SER ESO)! / ¡QUITA, QUITA! / ¡VAMOS HOMBRE! /
¡VAYA IDEA - OCURRENCIA! / ¡YA EMPEZAMOS! / ¡YA ESTAMOS!

Desacuerdo con implicación personal

CREO QUE TE CONFUNDES - EQUIVOCAS / ¿DE VERDAD CREES ESO? /
DIFIERO -DISIENTO EN / (ESO) NO LO CREO /
ESTÁS TOTALMENTE EQUIVOCADO / ESTOY EN CONTRA /
LO SIENTO, PERO / ¿ME HABLAS EN SERIO? /
ME TEMO QUE ESTÉS EQUIVOCADO / NO ESTOY DE ACUERDO /
NO LO VEO ASÍ / NO ME GUSTA ESTE PLANTEAMIENTO /
NO ME PARECE SERIO / NO PUEDO ACEPTARLO / ¿TÚ TE BURLAS DE MÍ? /
¿Y ESO QUIÉN TE LO HA DICHO?

Fíjese en los siguientes conectores:

¡NO ME VENGAS CON HISTORIAS - ÉSAS! / NO TIENES NI IDEA DE LO QUE DICES /
ESO NO TIENE NI PIES NI CABEZA / ¡NUNCA EN LA VIDA! / PERO ¿QUÉ DICES? /
¡ESTÁS LISTO! / ¡QUE TE CREES TÚ ESO! / ¡JAMÁS DE LOS JAMASES! /
ESO NO HAY QUIEN SE LO CREA / ¡ESO ES UNA IDIOTEZ! / DEJA DE DECIR BOBADAS /
¡NO DIGAS TONTERÍAS - PAVADAS! / ¿Y ESO DE DÓNDE LO HAS SACADO? /
¡ESTÁS MAL DE LA CABEZA! ¡ANDA YA! / ¡DE ESO, NADA! /
NO SABES LO QUE DICES / ¡TÚ ESTÁS LOCO!

Evidentemente sólo pueden usarse en una argumentación oral y en un ambiente
de gran confianza. Señale cuáles indican solamente desacuerdo y cuáles implican
además a alguno de los interlocutores.

COMPRENSIÓN ESCRITA

Las corridas de toros

Muchos definen las corridas de toros como la fiesta nacional española, como un legado cultural único y milenario que forma parte de nuestra sociedad y de nuestra esencia. Sin embargo, para mí es un vestigio anacrónico de una sociedad bárbara. Considero que la enorme riqueza de la cultura española permite renunciar a este sector marginal de la misma que son los toros. Es cierto que el toro bravo es tratado a cuerpo de rey hasta el instante mismo de su muerte, pero el animal sufre horriblemente durante la corrida y el castigo que se le infiere en ella es brutal. En efecto, el toro tiene una hermosa cornamenta con la que puede herir o matar al torero, pero en realidad es una lucha desigual, donde la inteligencia del torero le sitúa en una clara posición de superioridad. En cualquier caso, es una fiesta violenta que suscita las más bajas pasiones en el que la presencia. No estoy de acuerdo en que el toro prefiera morir defendiéndose en la arena antes que ser sacrificado en un matadero, puesto que una corrida no deja de ser más que una tortura.

En definitiva, el supuesto "arte" de la tauromaquia ha sido desde siempre un símbolo de crueldad de los españoles para con los animales, una "fiesta" que nos aleja de las otras costumbres europeas y hace a los españoles objeto de rechazo dentro del contexto cultural europeo.

 Separe los argumentos a favor y los argumentos en contra que hay intercalados a lo largo del texto.

Argumentos a favor	Argumentos en contra
– *Las corridas de toros son un legado cultural único y milenario.*	– *Son un vestigio anacrónico de una sociedad bárbara.*

¿Podría usted añadir alguno más a cualquiera de las dos listas?

b) Transforme el texto en una conversación muy coloquial entre dos amigos. Utilice los conectores adecuados.

EJEMPLO

— *Las corridas de toros son un legado cultural único y milenario, ¡NO FALTABA MÁS!*
— **PERO ¿QUÉ DICES?** *Son un vestigio anacrónico de una sociedad bárbara.*

VIÑETA Nº8, pág. 183

COMPRENSIÓN ORAL   Acentos argentino y neutro

Los hipermercados

Escuche dos veces la grabación y después responda a las cuestiones:

a) Complete las siguientes frases del texto con el conector que se ha empleado.

TENÉS RAZÓN / EN PRINCIPIO, SÍ / ¡VAMOS HOMBRE! /
¡DE ESO NADA! / YA ESTAMOS / ¡DE ESO NI HABLAR! / DE ACUERDO /
¡ANDA YA! / NO ME VENGAS CON HISTORIAS / ¡NO DIGÁS PAVADAS!

— .... No compares ir al teatro o al cine con ir de compras a un hipermercado.
— .... Así perdés más tiempo.
— .... Pero cualquiera se puede equivocar.
— .... Los trabajadores de un hipermercado son tan profesionales como los demás.
— .... Pero los propietarios sólo quieren ganar dinero, y a ésos no los verás nunca hablando con los clientes.

b) ¿Qué frase ha sido pronunciada?

– Ir a un hipermercado es para muchos la mejor manera de pasar un momento de ocio.
– Ir a un hipermercado es para muchos la mejor manera de pasar un rato de ocio.

– Antes, ir a la compra era una tarea aburridísima y muy pesada.
– Antes, ir a comprar era una tarea aburridísima y muy pesada.

– Yo prefiero ir alguna que otra vez al hipermercado y comprar para todo un mes.
– Yo prefiero ir una sola vez al hipermercado y comprar para todo el mes.

– Mira, yo no tengo coche y, por tanto, tampoco problemas de aparcamiento.
– Mira, yo no tengo coche y, por eso, tampoco el problema del aparcamiento.

– Muchas veces la publicidad de las ofertas es un poco engañosa.
– La mayoría de las veces la publicidad de las ofertas es engañosa.

c) Uno de los interlocutores prefiere comprar en los hipermercados. ¿Dónde prefiere hacerlo el otro?

EXPRESIÓN ORAL

a) ¿Qué tal la lavadora?

Éstas son las opiniones que han dado algunas personas después de haber usado una nueva lavadora durante un mes:

Creí que me iba a solucionar la vida, pero no soporto el ruido que hace

Me resulta práctica. Estoy conforme

La verdad, no sé cómo he podido arreglarme hasta ahora sin ella. Me ha cambiado la vida

¿Si estoy contento? ¡Ya lo creo! La ropa queda perfectamente blanca y no se estropea nunca

No hace mucho que la uso, pero la verdad es que es bastante ruidosa

No tengo de qué quejarme

¿Que es una buena lavadora? ¡De eso, nada! Se me estropeó el filtro a los tres días y desde entonces voy de reparación en reparación

Tal vez no he tenido suerte, pero ya he llamado dos veces al servicio técnico

No está mal, su diseño sobre todo

Por parejas: digan cuáles son opiniones favorables y cuáles desfavorables, y ordénenlas según su criterio.

b) No es verdad lo que dicen.

Las frases siguientes se oyen muy a menudo en la vida corriente:

1. Las verdades ofenden.
2. Quien calla otorga.
3. Sobre gustos no hay nada escrito.
4. La ira es mala consejera.
5. El fin justifica los medios.
6. No dejes para mañana lo que puedas hacer hoy.
7. El hacer las cosas bien importa más que el hacerlas.
8. El dinero no da la felicidad.

Vamos a demostrar que no siempre son verdad. Cada alumno dará un argumento en contra, hasta completar 5 de cada una. Hay que intentar no repetir los conectores.

unidad 4

EXPRESIÓN ESCRITA

a) Una cada frase de la primera columna con su correspondiente de la segunda. Utilice en cada caso un conector adversativo distinto.

PERO
MAS
AUNQUE
SIN EMBARGO
NO OBSTANTE
EXCEPTO
CON TODO

El toro bravo es tratado a cuerpo de rey hasta su muerte...

No tengo coche para ir a un hipermercado...

El sol tiene efectos benéficos para los seres humanos...

El cajero de un hipermercado comete errores con el lector de códigos...

Todos están deseando irse a la playa...

Los adelantos tecnológicos siempre han dado miedo a la gente...

El toro puede herir o matar al torero...

...tampoco tengo problemas de aparcamiento.

...todo el mundo se puede equivocar.

...el animal sufre enormemente durante la corrida.

...también puede provocar trastornos en la piel y en la cabeza.

...muchos están preocupados por los problemas que causan los rayos solares.

...en realidad es una lucha desigual.

...a aquellos que están bien informados.

b) Lea lo que dicen estos personajes. Después una las dos frases mediante el conector SINO (QUE). Observe el ejemplo.

EJEMPLO

A. El toro está indefenso.
B. No. El toro tiene una poderosa cornamenta con la que puede herir o matar al torero.

El toro no está indefenso, SINO QUE tiene una poderosa cornamenta con la que puede herir o matar al torero.

AYUDA

El conector adversativo SINO (QUE) exige que la frase que va delante sea siempre negativa.

A: Los precios de los hipermercados son más baratos.
B: No. Los precios de los hipermercados tienen una publicidad engañosa.

A: Los rayos ultravioletas nos suavizan la piel.
B: No. Los rayos ultravioletas envejecen la piel.

A: La fiesta de los toros es civilizada.
B: No. La fiesta de los toros demuestra la crueldad de una sociedad.

c) Transforme las oraciones siguientes en otras idénticas pero que lleven el conector NO SÓLO... SINO (QUE):

> **EJEMPLO**
>
> En los hipermercados compras y además te diviertes con tu pareja o con tus hijos.
>
> *En los hipermercados,* **NO SÓLO** *compras,* **SINO QUE** *además te diviertes con tu pareja o con tus hijos.*

- Los residuos nucleares ponen en peligro la salud del ser humano y también la fauna y la flora.

- Hemos descubierto con sorpresa que está hecho a mano e incluso sabemos quién lo ha hecho.

- Ha dicho un magnífico discurso y después ha invitado a beber a los asistentes.

- Una corrida de toros es una fiesta violenta y suscita las más bajas pasiones del que la ve.

- El nivel de vida ha aumentado en nuestro país durante los últimos años y se ha mantenido por encima de la media europea.

----

d) Tres cosas hay en la vida.

Hay una popular canción que comienza así:

Tres - cosas - hay - en - la - vida -:
salud - dinero - y - amor.
El - que -tenga -estas -tres- cosas
que - le - dé - gracias - a - Dios.

¿Qué es más importante en la vida para usted: la salud, el dinero o el amor? Redacte, por escrito, la defensa de una de las tres cosas. Incluya, además, argumentos en contra de las otras dos.

meta

la herencia

Práctica oral en grupo globalizadora del objetivo de la unidad: **aprobar y rechazar los argumentos del interlocutor.**

Éste es un pequeño juego de rol. Un padre quiere dividir su herencia en tres partes, una para cada hijo. Sus bienes son los siguientes:

– Un apartamento en la costa de 30 millones de pesetas.
– La casa familiar en Madrid, de 45 millones de pesetas.
– Acciones en el banco, disponibles inmediatamente, por un importe de 25 millones de pesetas.

Tiene tres hijos:

LUIS
- 31 años,
- casado y con tres hijos (6, 4 y 2 años respectiva-mente),
- médico en paro,
- su mujer trabaja de enfermera,
- está pagando la hipoteca de la casa.

MARÍA
- 26 años,
- se va a casar,
- es profesora y hace sustituciones esporádica-mente,
- su novio es un abogado de cierto renombre,
- vivirán en la casa del futuro marido.

JORGE
- 23 años,
- soltero y sin compromiso,
- está acabando la carrera de arquitecto,
- vive en la casa familiar,
- le gusta mucho salir con los amigos y gastar dinero.

La intención del padre es dar a Luis el dinero, a María el apartamento en la costa y a Jorge la vivienda familiar. Sin embargo, las casas sólo se podrán vender cuando él muera, ya que quiere disfrutarlas mientras viva.

Cada hijo deberá exponer delante del padre su deseo de llevarse lo que los tres consideran la mejor parte de la herencia: el dinero en metálico. Tendrán que argumentar a favor de ello y en contra de la intención del padre.

Desarrollo del ejercicio

1. La clase se divide en grupos de tres y cada alumno representa a uno de los hijos.

2. Durante 5 minutos preparan sus *pros* y sus *contras* de manera individual. ⏱

3. A continuación sale a escena el primer grupo. Cada hijo tiene 1 minuto de tiempo para su exposición. ⏱

4. El resto de la clase, haciendo la función del padre, votará quién merece llevarse el dinero.

5. El juego se repite tantas veces como grupos haya.

6. Al final se valorará qué grupo ha jugado mejor.

LA ✿ MENTE
en boca de todos
Frases hechas y expresiones figuradas

---

estar enfadado

Todas estas expresiones significan estar enfadado:

Echar chispas / rayos.
Estar de morros.
Estar mosqueado
(mosquearse).
Estar que arde / muerde /
trina.
Hinchársele a alguien las
narices.
Tener / estar de malas
pulgas, mala uva, mala
leche.

 A Estas otras también, pero tienen algún matiz diferenciador. ¿Sabe cuál es? Relacione las frases con su significado.

a) Perder los estribos.
b) Sacar a uno de quicio / de sus casillas.
c) Tener cara de pocos amigos.
d) Poner a uno los nervios de punta.
e) Poner a uno negro.

1. Tener una persona aspecto de estar enfadada, lo que provoca que no se le acerque nadie.
2. Enfadarse de forma que se pierde el control de la situación.
3. Hacer enfadar a alguien hasta el punto que pierda la paciencia.
4. Irritar, hacer enfadar a alguien. (2 expresiones)

UNA IMAGEN VALE + PRAGMÁTICA DE LA COMUNICACIÓN

La postura de los brazos es reveladora del estado de ánimo en el que nos encontramos cuando estamos argumentando

 a.

Brazos separados, libres o en movimiento, o apoyados o doblados, pero sin contacto el uno con el otro. Al dejar los brazos moverse sin necesidad de que se toquen mostramos que estamos abiertos, atentos, tranquilos. No sentimos la necesidad de protegernos, pues no nos sentimos amenazados, ni incomprendidos. Nos sentimos a gusto.

B Gloria está muy enfadada y ha escrito una carta a Lucas llena de expresiones de mal humor y muy poco finas. Busque estas expresiones.

Querido Lucas:

Todavía no sé de dónde saco humor para escribirte esta carta. Sé que prometí responderte lo antes posible, pero he estado muy ocupada intentando solucionar un grave problema laboral. Ya te conté que me pusieron un secretario personal nuevo y que su poca experiencia me traía por la calle de la amargura. Pues bien, hace dos semanas cometió un error como una casa en el envío de un pedido internacional. Pero para más inri no me dijo nada hasta varios días después, porque, según él, yo estaba de mala uva y tenía miedo de mi reacción. Evidentemente, cuando me enteré me puse hecha una fiera. Tuve que hacer un par de viajes a Roma y a Hamburgo para tratar de enmendar un error que a la empresa le ha costado casi un millón de pesetas.

Te agradezco mucho tu invitación por Navidad, pero ya ves que no estoy para fiestas. Lo más urgente para el próximo año es encontrar otro secretario y se me llevan los demonios al pensar que esto me priva de unos pocos días de vacaciones.

Gloria.

C *dibujando*
EXPRESIONES

¿Qué expresión está representada con este dibujo?

el lenguaje de las manos

b.

Brazos cruzados, sea cual sea la manera de cruzarlos, expresa la necesidad de establecer una barrera con el exterior.

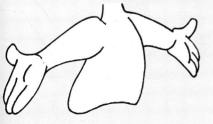

¡A qué cree Vd. que se llama brazos "parachoque", a los separados o a los cruzados?

NO SABE / NO CONTESTA

Objetivo

Expresar la eventualidad: seguro, probable, posible, improbable, imposible.

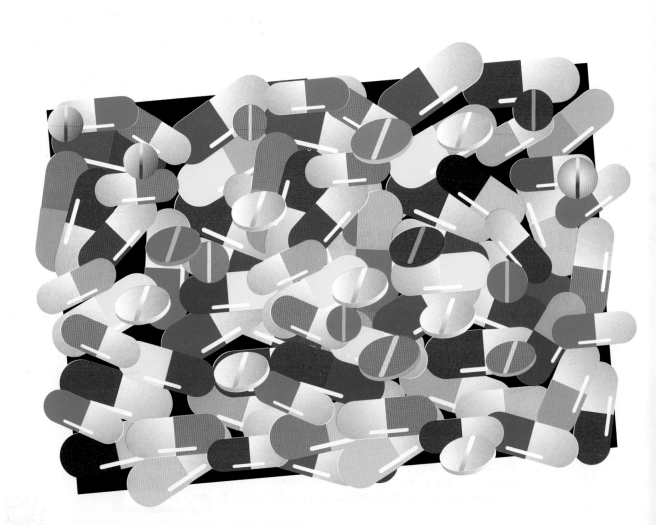

Salida

VIÑETA N°9, pág. 183

¿La legalización de la droga resolvería el problema actual de ésta y sus consecuencias?

Seguro / Cierto

Es seguro que la legalización resolverá el problema, porque al despojar al drogadicto de su perfil de delincuente se facilitará su rehabilitación.

No cabe la menor duda de que al legalizar la droga, ésta pierde algo de su carácter de fruta prohibida. Por eso, el interés de los jóvenes por la droga disminuirá.

Si se legaliza, el control oficial y médico de la droga quitará, **por supuesto**, su carácter de negocio clandestino[2] y éste dejará de ser atractivo para las mafias.

Es obvio que el comercio de tóxicos de calidad evitará las actuales muertes por droga adulterada[5].

Es evidente que si el adicto consigue dosis controladas a precio accesible, no necesitará robar, ni prostituirse para pagarse su vicio.

Es cierto que, históricamente, los pueblos han sabido convivir con la droga libre.

Desde luego, actualmente varios países, como Holanda, experimentan cierta forma de legalización con éxito y sin aumento del consumo.

Probable / Posible

Es posible que la legalización resuelva en parte el problema, porque la ilegalidad no ha podido impedir el abuso de la droga.

Es probable que al principio de la legalización haya un aumento del consumo, pero disminuirá poco después.

Hay esperanzas de que, con la legalización de la droga, ésta deje de interesar ya a los narcotraficantes. Por lo tanto, desaparecerían las redes clandestinas de "camellos"[3].

Probablemente el control de la droga podría evitar accidentes y sobredosis en los drogadictos.

Puede que la legalización ponga un freno al robo y a la prostitución, por lo menos a los que tengan dinero para comprársela legalmente.

Además, **seguramente** casi todos los pueblos han utilizado algún tipo de drogas de manera habitual, pero era debido a razones geográficas y sociales particulares.

Todo parece indicar que la solución prohibicionista de la Ley Seca de Estados Unidos fracasó, y que muchos países se orientan ahora por lo menos hacia la despenalización de la droga.

Improbable / Imposible

¡En absoluto! Legalizar la droga sería rendirse ante el crimen organizado.

Esto es altamente improbable, porque legalizar la droga conduce a estimular[1] su consumo en personas que hoy se mantienen alejadas de los tóxicos por respeto a la ley.

De ninguna manera, porque el hecho de que se pueda comprar droga legalmente no acabará con el mercado negro,[4] como ocurre con las armas.

La legalización no evitará, **de ningún modo**, los accidentes. Más bien, al contrario, con el aumento de los drogadictos se producirán más muertes.

Es muy dudoso, porque la permisividad no acaba con el vicio. Es preciso endurecer la ley para acabar con la tolerancia hacia los consumidores.

¡Ni hablar! La droga es el mal de una sociedad consumista y sin ideales.

Para la mayoría de los países **es del todo imposible pensar** en legalizar la droga. Es una utopía que plantearía serios enfrentamientos en la sociedad y entre los diferentes países.

Léxico

[1] **estimular**: mover a alguien a hacer algo.

[2] **clandestino**: secreto, oculto por temor a la ley.

[3] **"camello"**: en argot, persona que vende droga en pequeñas cantidades.

[4] **mercado negro**: tráfico ilegal de dinero o productos.

[5] **adulterada**: aquí, alterada su naturaleza por la mezcla con otras sustancias.

unidad 5

Salida

1 ¿Cuál de los argumentos a favor de la legalización de la droga le parece más convincente y cuál menos? ¿Por qué?
¿Y respecto a la no legalización? ¿Por qué?
¿Podría suscribir todos los argumentos sobre una posible legalización? ¿Cuál no? ¿Por qué?

2 ¿Y usted qué opina? Marque con una cruz la casilla que elija.

a) Al legalizar la droga, el interés por ella disminuirá:
☐ seguro ☐ probable ☐ imposible

b) La legalización de la droga hará desaparecer su carácter de negocio clandestino:
☐ seguro ☐ probable ☐ imposible

c) Su legalización evitará el comercio de tóxicos adulterados y no habrá tantas muertes:
☐ seguro ☐ probable ☐ imposible

d) Si se legaliza, la droga será más barata y el adicto no necesitará delinquir:
☐ seguro ☐ probable ☐ imposible

e) Todos los pueblos y países son capaces de convivir con la droga libre:
☐ seguro ☐ probable ☐ imposible

uso de la lengua

los adverbios de afirmación, negación y duda

Afirmación: sí, claro, por supuesto, en efecto, desde luego, evidentemente, efectivamente, naturalmente, ciertamente, indudablemente, obviamente...
Negación: no, nunca, jamás, en absoluto, de ninguna manera...
Duda: quizá/quizás, tal vez, a lo mejor, acaso, posiblemente, probablemente...

Estos adverbios pueden constituir frases por sí solos, normalmente como respuestas a una pregunta.

EJEMPLO

¿La legalización de la droga resuelve el problema?
EVIDENTEMENTE / JAMÁS / POSIBLEMENTE.

Aunque también pueden ser introductores de una oración o estar incluidos en ella reforzando su sentido.

EJEMPLO

- *El control oficial de la droga quitará,* **POR SUPUESTO***, su carácter de negocio clandestino. (Oración afirmativa)*
- **PROBABLEMENTE** *el control de la droga evitará accidentes y sobredosis. (Oración dubitativa)*
- **NUNCA** *la legalización podría acabar con el mercado negro. (Oración negativa)*

unidad 5

Todos los adverbios pueden ir en cualquier posición de la frase sin que ésta cambie de significado.

EJEMPLO

QUIZÁ *los países sabrían convivir con la droga libre.*
Los países **QUIZÁ** *sabrían convivir con la droga libre.*
Los países sabrían convivir **QUIZÁ** *con la droga libre.*

Sin embargo, el adverbio **NO**, que va delante de un verbo, no puede cambiar de posición. Sólo puede ir delante de él.

EJEMPLO

Los países **NO** *sabrían convivir con la droga libre.*

Porque si pasa delante de otro verbo cambia el sentido de la frase.

EJEMPLO

El control de la droga **NO** *puede evitar accidentes. (Seguridad)*
El control de la droga puede **NO** *evitar accidentes. (Posibilidad)*

uno   Complete los cuadros con los conectores siguientes:

ES INDUDABLE / A LO MEJOR / ES ALTAMENTE IMPROBABLE QUE / ES IMPENSABLE /
ES IMPOSIBLE / NATURALMENTE / ESTÁ CLARÍSIMO / ES MÁS QUE PROBABLE QUE /
ES POCO PROBABLE QUE / ES MUY DUDOSO QUE /
NO PODEMOS EXCLUIR LA POSIBILIDAD DE QUE / ME PARECE DUDOSO QUE /
NO HAY NINGUNA DUDA / ES DEL TODO IMPOSIBLE QUE /
NUNCA SE SABE / QUIZÁ / ESTOY (ABSOLUTAMENTE) CONVENCIDO / ENTRA DENTRO DE LO
POSIBLE QUE / NO ES RAZONABLE PENSAR QUE / TAL VEZ /
HAY POCAS POSIBILIDADES DE QUE /
NO ESTOY SEGURO DE QUE / DUDO QUE / NO TENGO NINGUNA DUDA / ES OBVIO QUE

Expresar seguridad

S EVIDENTE
STOY (COMPLETAMENTE) SEGURO
O SÉ DE FIJO
NO ME CABE LA MENOR DUDA
¡PUEDES ESTAR SEGURO!
(PUES) CLARO QUE SÍ
QUIEN DIGA LO CONTRARIO, MIENTE
¡SEGURO (QUE SÍ)!

*es indudable
naturalmente
esta clarísimo
no hay ninguna duda
no tengo ninguna duda
es obvio
a lo mejor*

Expresar posibilidad o probabilidad

ACASO
ES PROBABLE
HAY ESPERANZAS DE QUE
NO ES (DEL TODO)
IMPROBABLE QUE
PARECE SER QUE
PROBABLEMENTE
PUEDE / PODRÍA / PUDIERA
(SER / OCURRIR) QUE
QUIÉN SABE

*es mas que probable que
no podemos excluir la posib
posible que
tal vez
no estoy seguro de que
nunca se sabe
quizá
a lo mejor*

Expresar imposibilidad o improbabilidad

ES DIFÍCIL QUE
ES IMPROBABLE
ME SORPRENDERÍA QUE
NO CREO QUE
NO ES NADA PROBABLE QUE
RESULTA IMPOSIBLE
*es altamente improb
es impensable
es imposible
es poco probable que
es muy dudoso que
me parece dudoso que
es del todo imposible
no es razonable pensar
hay pocas posibilidades
dudo que
entra dentro de lo*

¿Estudias o trabajas? O el arte de ligar

1 Es indudable que la mejor manera de conquistar es mostrarse con naturalidad, recuperar el niño que fuimos y practicar las relaciones humanas en la vida cotidiana.

2 Entablar una relación es seguramente más fácil de lo que parece. No cabe ninguna duda de que la fe en uno mismo es una de las principales cualidades para llevarse el gato al agua. En cambio, con las frases hechas y los tópicos hay pocas posibilidades de éxito, más bien podemos conseguir alguna que otra carcajada y llevarnos un chasco. Flirtear con naturalidad, mostrando lo más interesante que llevamos dentro, resulta decisivo.

3 Es evidente que para encontrarse en disposición de ligar hay que estar relajado y no obsesionarse, en caso contrario, todos los intentos de acercamiento parecerán artificiales. Hay que expulsar de nosotros el miedo al rechazo, pues con una sutil insinuación es imposible quedar en ridículo.

4 Además, practicar abiertas sonrisas y buena educación con todo el mundo ayudará a que las cosas vayan como la seda en el momento elegido. No cabe la menor duda.

5 Una vez que encontramos la persona indicada, las artes del cortejo se ponen en marcha casi sin darnos cuenta: los gestos nos delatan y hasta nos cambia la voz. A veces, es difícil saber si se está obteniendo respuesta, porque el otro intenta ocultar su interés. En ese caso, tal vez lo mejor es comenzar un segundo ataque a ver qué pasa.

6 En definitiva, qué duda cabe, seducir es un sano deporte que pone en funcionamiento facetas desconocidas de uno mismo.

¿Bailas?

¿Vienes mucho por aquí?

¿Tienes fuego?

¿No nos conocemos?

¿Estás sola?

¿Estudias o trabajas?

VIÑETA N°10, pág. 183

 a) Indique si los siguientes argumentos están expresados
en el texto con seguridad o como posibilidad:

– Para encontrarse en disposición de ligar hay que estar relajado.
– Entablar una relación es más fácil de lo que parece.
– La mejor manera de conquistar es mostrarse con naturalidad.
– Seducir es un sano deporte.
– Lo mejor es empezar un segundo ataque a ver qué pasa.
– La fe en uno mismo es una de las mejores cualidades para llevarse el gato al agua.

b) Encuentre en el texto dos frases expresadas como imposibilidad.

c) ¿Sabe usted qué significa "ligar"? Busque en el texto todos los sinónimos de
esta palabra.

d) ¿Qué quiere decir la expresión Llevarse el gato al agua? ¿Cuál es la expresión
contraria que aparece en el texto?

COMPRENSIÓN ORAL   Acento gallego

Los valores de la juventud

a) Esta argumentación oral está basada en unos datos estadísticos. Complételos
con las cifras que se dicen.

| ENCUESTA: Los valores de la juventud española | | | | LUGAR: España | |
| ENCUESTADOS: Jóvenes entre 19 y 23 años | | | | ERROR: + o - 2% | |
Cree en Dios	No cree en nada	Cree en lo que ve y toca	Cree en sí mismo	Va a misa los domingos	No va a misa nunca
		3 %			

b) Las siguientes frases son la introducción y la conclusión. ¿Cuáles son los
conectores que las introducen?

Introducción: .... que la fe religiosa de los jóvenes españoles en este final de
milenio se mantiene a una temperatura muy baja.
Conclusión: .... que la religión no forma parte de los valores de la juventud
española actual.

c) Según los sondeos, éstos son los valores de la juventud española. Tache los que
no se han mencionado.

La familia / el amor / el éxito en los estudios / el dinero / el sexo / la diversión /
la paz / el éxito en el trabajo / la ecología / la solidaridad / la amistad

tercera etapa
EXPRESIÓN ORAL

a) De lo seguro a lo imposible

Elija individualmente un tema y exponga su punto de vista ante toda la clase en una argumentación muy breve.
En ella su opinión debe estar expresada mediante conectores de seguridad, pero deberá matizarla con argumentos de probabilidad y de imposibilidad.

EJEMPLO

● *¿Debe autorizarse legalmente la autodefensa ante la inseguridad ciudadana?*

Estoy convencido de que la autodefensa es un sistema eficaz para defenderse de los pequeños delincuentes, pues la policía hace muchas veces la vista gorda. Sin embargo, si se autoriza legalmente, a lo mejor habría más tolerancia a la hora de conceder permisos de armas. Me parece improbable que al final éstas se fueran a usar para la autodefensa, sino más bien para el ataque, y creo que la delincuencia aumentaría.

b) ¿Comunica?

¿Cree usted que en la sociedad actual hay más comunicación que antes?
¿O tal vez no? Vamos a ver si lo aclaramos.

Para este ejercicio la clase se dividirá en tres grupos:
Grupo A (certeza): los que opinan que en la sociedad actual hay más comunicación.
Grupo B (posibilidad): los que opinan que posiblemente hay más comunicación.
Grupo C (imposibilidad): los que opinan que no hay más comunicación.

Cada grupo preparará durante 5 minutos cinco argumentos que apoyen su opinión. A continuación saldrá un representante de cada grupo. Hablará primero el representante del grupo A y expondrá uno de los argumentos. Inmediatamente después el representante del grupo B buscará entre los suyos uno que sirva para rebatir el anterior. Y lo mismo hará el alumno del grupo C.

¡OJO!
Cada argumento debe ir acompañado por un conector adecuado.

Cuando todos hayan intervenido, se votará qué grupo ha sido más convincente.

EXPRESIÓN ESCRITA

a) Indique si las siguientes frases afirman, niegan o dudan, o sea, si son afirmativas, negativas, o dubitativas. Después transforme cada una de ellas en los otros dos tipos.

1. El comercio de tóxicos de calidad no evitaría en absoluto las actuales muertes por droga adulterada.

2. La droga es el mal de una sociedad consumista y sin ideas.

3. Indudablemente, para encontrarse en posición de ligar hay que estar relajado.

4. La legalización de la droga tal vez pondría un freno al robo y a la prostitución.

> **¡OJO!**
>
> *Para que una frase sea afirmativa no es necesaria la presencia de un adverbio de afirmación.*
> *Basta con que no haya adverbios de negación o duda.*

b) Cambie de lugar los adverbios subrayados. ¿Tienen las frases el mismo significado o distinto?

1. <u>Indudablemente</u>, para encontrarse en posición de ligar hay que estar relajado.

2. La legalización de la droga <u>tal vez</u> pondría un freno al robo y a la prostitución.

3. La religión <u>nunca</u> ha formado parte de los valores de la juventud española.

4. <u>Seguramente</u> la cifra de los que creen en Dios es alta.

5. La permisividad <u>acaso</u> acabe con el vicio.

6. La legalización de la droga conduce, <u>desde luego</u>, a estimular su consumo.

c) Sitúe el adverbio NO en otro lugar distinto dentro de la misma frase para que cambie el sentido de ésta. Diga además qué diferencia de significado hay entre las dos oraciones.

EJEMPLO

Con las frases hechas y los tópicos podemos **NO** conseguir nuestro objetivo.
(Significa que de este modo no es seguro que consigamos nuestro objetivo.)
Con las frases hechas y los tópicos **NO** *podemos conseguir nuestro objetivo.*
(Significa que de este modo no conseguimos nuestro objetivo.)

---

1. La ilegalidad no ha podido impedir el uso de la droga.

2. No podemos legalizar la droga.

3. La cifra de creyentes no puede ser muy alta.

4. Con una leve insinuación no es posible quedar en ridículo.

d) Recicle, que algo queda.

95%

Se sabe que el reciclado de basuras ahorraría un 95% de energía.

1 Kg./día

Cada español produce aproximadamente 1 kilo de basura al día.

28.778

En España hay sólo 28.778 contenedores de vidrio (1 por cada 1.390 habitantes).

2.500 millones

En nuestro país se consumen 2.500 millones de latas de refrescos en un año (55-60 por persona) y la mayoría está hecha con material no reciclable.

¿Qué le sugieren estas cifras? Redacte su opinión sobre este problema y trate de buscar alguna solución. No olvide utilizar los adverbios estudiados en esta unidad para poder expresar seguridad, probabilidad e imposibilidad.

Sólo se recupera un 10% de vidrio y un 20% de papel.

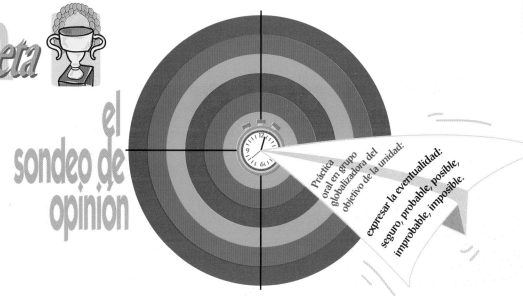

meta

el sondeo de opinión

Práctica oral en grupo globalizadora del objetivo de la unidad:

expresar la eventualidad: seguro, probable, posible, improbable, imposible.

Objetivo: encontrar (a partir de un *brain-storming*) un buen tema para un sondeo de opinión que permita responder: seguro / probable / posible / improbable / imposible

Desarrollo del ejercicio

1. Los alumnos empiezan enumerando diferentes temas de actualidad que puedan ser interesantes. Uno va apuntándolos en la pizarra. Éste será el primer *brain-storming*. (5 minutos)

EJEMPLO

Las plataformas digitales / PC o Macintosh / Las drogas / La venta por correo / ...

---

2. A continuación se elige el que más haya gustado. (1 minuto)

EJEMPLO

Las drogas

---

3. Se vuelve a hacer una lluvia de ideas para encontrar aspectos interesantes. (7 minutos)

4. Se organizan las ideas en apartados. (10 minutos)

EJEMPLO

- *Definición: elementos nocivos, drogas duras y drogas blandas, tabaco, alcohol...*
- *Causas: el paro, la insatisfacción...*
- *Consecuencias: atracos, inseguridad ciudadana, muerte...*
- *Inconvenientes: narcotraficantes organizados, conciencia social...*
- *Soluciones: legalización de las drogas, buscar nuevas motivaciones para la juventud*

---

5. La clase, en grupos, confecciona preguntas sobre cada apartado. (15 minutos)

EJEMPLO

El grupo A prepara las preguntas para el apartado de las consecuencias:
   a) ¿Crees que los drogadictos son la causa principal de la inseguridad ciudadana?
     -Sí.   -En absoluto.   -Probablemente.
El grupo B prepara las del apartado de las soluciones:
   a) ¿Estás de acuerdo con la legalización de las drogas?
     -Ni pensarlo.   -Podría ser positivo.   -Sí, por supuesto.

---

6. Preparadas las preguntas (unas 20) se realiza el sondeo entre la clase. (10 minutos)

7. Finalmente, la clase analiza los resultados y extrae los porcentajes. (10 minutos)

LA MENTE

en boca de todos
Frases hechas y expresiones figuradas

intervenir, hacer frente *(have to go through with it)*

- 1 **a)** A lo hecho, pecho. — *what's done is done (land yourself with it)*
- 7 **b)** Cargar (o cargar a alguien) con el muerto / mochuelo. — *Get lumbered with it*
- 6 **c)** Dar el do de pecho. — *Give one's best*
- 1 **d)** Dar la cara. — *do your own dirty work*
- 4 **e)** Meter baza. — *butt in one's nose in*
- 3 **f)** Meter las narices. — *stick one's nose in / poke one's nose in*
- 3 **g)** Meterse alguien a redentor.
- 5 **h)** Meterse en camisa de once varas. — *take authority / charge*
- 2 **i)** Plantar cara. — *stand up to*
- 4 **j)** Tomar cartas en el asunto.

intervene

high C

A Relacione las expresiones anteriores con las explicaciones que siguen.

1. No esconderse. Asumir culpas o errores que uno ha cometido y que ya no tienen remedio. (2 expresiones) *a / d*
2. Afrontar una situación peligrosa o arriesgada. *i*
3. Ocuparse alguien de asuntos o conversaciones que no le corresponden o que no le reportan ningún beneficio. (3 expresiones) *f e g*
4. Entrometerse una persona a solucionar algo o a poner paz en un asunto que no le va ni le viene.
5. Intervenir en algo tomando su dirección / el mando.
6. Realizar un esfuerzo extraordinario para conseguir algo. *c*
7. Asumir un error o una culpa de la que no se es responsable. *b*

PRAGMÁTICA DE LA COMUNICACIÓN

UNA IMAGEN VALE +

Cuando comunicamos, en la cabeza se centran todas las miradas. Es el espejo de todas nuestras emociones y encontramos tres actitudes fundamentales.

a. La cabeza inclinada hacia abajo _____

_____

B Rellene los espacios en blanco con las siguientes expresiones:
Cargar con el muerto. / Meter las narices. / Meterse en camisa de once varas. / Plantar cara.

FÁBULA

1. meta las narias
2. planta cara
3.

C dibujando
EXPRESIONES

Un conejo corría entre los árboles perseguido por dos perros. De repente se encontró con otro conejo que en ese momento salía de su madriguera.

–¿Por qué corres, amigo? –le preguntó.

–Déjame, no .... ¿No ves que estoy en peligro? Me siguen dos galgos. *greyhound   hounds   planta cara*

–Ah, sí, ya los veo. Pero no son galgos, sólo son podencos. .....plantalcara y enfréntate a ellos.

–Pero, ¿qué dices? ¿No ves que son galgos? Ve tú si quieres –dijo nuestro conejo. *mete en camisa de once varas*

–A mí no me .... Esos podencos vienen a por ti –respondió el otro. *Cargó con el muerto*

–¡Te he dicho que no son podencos, son galgos!

Mientras discutían, llegaron los dos perros y los cazaron a los dos. Esto les pasó por .... *Carga con muerto   meterse en camisa de una varas*

BLA BLA

DO

¿Qué expresión está representada con este dibujo?

Cargar con el mochuelo

as posturas de la cabeza

b. La cabeza echada hacia atrás _____
_____
_____

c. La cabeza inclinada de lado _____
_____
_____

1. trata de atraer la atención, incita a obtener el acuerdo o a seducir.

2. expresa una actitud de superioridad.

3. manifiesta un sentimiento de sumisión o de aceptación.

ESO HAY QUE VERLO

Objetivo

Expresar reserva, concesión y oposición.

El aborto

VIÑETA N°11, pág. 183

A favor	En contra

Hay muchos países donde el aborto es legal. Y a pesar del progreso de las leyes, muchos otros siguen sin reconocerlo todavía.

Es verdad, pero, aunque muchos de los países lo reconocen, ahora quieren volver a definir los términos.

En primer lugar, si la vida de la madre está en peligro o si hay violación de la mujer, sin lugar a dudas el aborto se impone.

Hay que reconocer que ---------------

En segundo lugar, el aborto se basa en el derecho de la mujer a disponer libremente de su cuerpo.

En parte puede que tengas razón, pero entonces ----------------------------
----

Cabe subrayar también que uno de los derechos fundamentales de la mujer es
----

Entiendo tu punto de vista, aun así la vida pertenece a Dios y el "no matarás" es un precepto[1] inscrito en todas las religiones.

Eso es muy discutible. Cuando el niño nace, la vida de la familia, en el sentido amplio, se transforma y ayuda a la madre en dificultades. La sociedad también contribuye a ello.

No sólo hay razones materiales, sino también sociales y psicológicas que impiden a una joven madre o a una mujer en dificultades criar y educar a su hijo.

Es posible, pero también hay que tener en cuenta **otras consideraciones** ----------------
----

Comprendo lo que dices, y en este caso para la madre es difícil educar a su hijo sola. **Pero,** ¿cuántas madres, después de un divorcio, educan también solas a sus hijos?

De todos modos, no se puede volver atrás, el aborto es un derecho fundamental de la mujer.

Aunque el aborto puede existir en ciertas condiciones, no se puede hacer de él un método de contracepción[2] y no se puede generalizar como conveniencia personal.

[1] **precepto**: mandato u orden superior.

[2] **contracepción (o anticoncepción):** acción y efecto de impedir un embarazo.

unidad 6

En el diálogo anterior faltan algunos argumentos o parte de ellos. Complételos.

uso de la lengua

expresar el acuerdo con matices

Para aceptar o hacer una concesión a una opinión de nuestro interlocutor, que no impide que nuestra idea sea la correcta, usamos las frases llamadas **concesivas**.

> **EJEMPLO**
>
> **AUNQUE** *el aborto puede existir en ciertas condiciones, no se puede generalizar como conveniencia personal.*

> **CONECTORES**
>
> **AUNQUE / A PESAR DE (QUE) / AUN ASÍ / POR MÁS QUE / POR MUCHO - POCO QUE / PESE A QUE / CON TODO Y CON ESO**, etc.

even so
nevertheless
still   *no matter (what)*

- La frase que lleva el conector puede ir delante o detrás de la otra, excepto si el conector es **CON TODO Y CON ESO**, que sólo puede ir detrás.

- Otra manera de hacer una frase concesiva es con la construcción **AUN + gerundio**.

> **EJEMPLO**
>
> **AUN** *pudiendo existir en ciertas condiciones, no se puede generalizar el aborto como conveniencia personal.*

- Un tipo especial de frases concesivas son algunas expresiones hechas como: **QUIERAS O NO, HAGAS LO QUE HAGAS, SEA COMO SEA, DIGA LO QUE DIGA, PASE LO QUE PASE**, etc.

> **EJEMPLO**
>
> **DIGAS LO QUE DIGAS**, *no se puede generalizar el aborto como conveniencia personal.*

unidad 6

uno Complete los cuadros siguientes con estos conectores:

AL CONTRARIO - POR EL CONTRARIO / BIEN MIRADO, NO CREO (QUE) /
BUENO, PERO / EN VEZ DE / EN PARTE PUEDE QUE TENGAS RAZÓN, PERO /
NO LO VEO CLARO / NO LOGRO COMPRENDER / NO TIENE SENTIDO DECIR QUE /
RESPETO - ENTIENDO TU PUNTO DE VISTA, PERO / SÍ, CON TAL DE QUE /
SÍ, SIN EMBARGO / SÍ, PESE A QUE / SIGO SIN COMPRENDER

RESERVA o rechazo matizado de los argumentos

DUDO QUE
EN LÍNEAS GENERALES, NO ME PARECE MAL
ESO ES (MUY) DISCUTIBLE
HABRÍA MUCHO QUE DISCUTIR SOBRE ESTO
NO CREO QUE

OPOSICIÓN a los argumentos

EN CAMBIO
EN LUGAR DE
EN OPOSICIÓN A
FRENTE A ESO
PIENSO QUE NO ES LÓGICO / EXACTO /
  VERDAD / CIERTO QUE

CONCESIÓN o aceptación parcial de los argumentos

SÍ, AUNQUE
SÍ, PERO CON TODO Y CON ESO
SÍ, NO OBSTANTE
SÍ, PERO
SÍ, SIEMPRE QUE
TAMBIÉN HAY QUE TENER EN CUENTA
  OTRAS CONSIDERACIONES, COMO
COMPRENDO LO QUE DICES, SIN
  EMBARGO
YO NO DIRÍA

Manifestación de INCOMPRENSIÓN

ACLÁRATE
NADA, QUE NO LO ENTIENDO
NO ME ACLARO
NO PUEDO ENTENDERLO
(PUES) NO LO ENTIENDO /
  COMPRENDO
¡QUÉ LÍO!
¿QUÉ QUIERES DECIR?

dos ¿Qué significa la expresión No me entra en la cabeza? Si la utilizamos como conector, ¿en qué cuadro la situaría?

unidad 6

primera etapa
COMPRENSIÓN ESCRITA

El secreto profesional

EL PAÍS/SALUD

El secreto profesional

EL PAÍS. PARIS

El secreto profesional es importante y necesario, sin duda. Pero también lo es la conciencia de las personas que se ven obligadas a mentir en nombre del Estado.

Comprendo por eso las preocupaciones del doctor Gubler, el médico personal de François Mitterrand, cuyo libro *El gran secreto* ha sido prohibido por los tribunales franceses.

Gubler contó que Mitterrand había estado enfermo de un cáncer incurable durante los últimos once años de su vida y que los partes médicos sobre su estado de salud habían sido falsos.

La prohibición del libro se basó en la violación del secreto médico, penada por la ley francesa. El asunto es complejo; es un caso de conflicto entre dos derechos: el secreto profesional y la libertad de expresión. Personalmente, me quedo con este último. Por eso, no creo que la democracia haya ganado mucho con el episodio.

esperando que no va y en tant para lanc a menud se dan cu que el sab no ocupa misma o a pesar d las oport de cada en todos los térmi sospecha a menud las cosas determin sin que li especiales

Texto adaptado de Jorge Edwards. *El País.*

necistas matizar algunos aspectos

a) ¿Hay en el texto alguna idea que se exprese bajo la forma de concesión o rechazo matizado de los argumentos (SÍ, PERO...)? Señálela.

por eso ¿katuras why

b) El autor dice: "El asunto es complejo; es un caso de conflicto entre dos derechos: el secreto profesional y la libertad de expresión."

• Él admite los dos derechos, aunque prefiere uno de ellos. ¿Cuál?

CONCIERTO Guitarra

c) ¿Qué razones daría usted para defender la libertad de expresión? Indique tres y utilice conectores de reserva o concesión.

> **EJEMPLO**
>
> *Estoy de acuerdo en que se debe guardar el secreto profesional, MENOS EN...*

¿Y cuáles serían, en cambio, las razones de usted para defender el secreto profesional? Indique otras tres.

VIÑETA Nº 12, pág. 184

> **EJEMPLO**
>
> *La libertad de expresión es un derecho democrático. CON TODO Y CON ESO...*

segunda etapa
COMPRENSIÓN ORAL   Acento catalán

¿Me compras la moto?

a) ¿Cuál es la razón principal por la que el hijo quiere una moto?

El tráfico ☐   La seguridad ☐

¿Cuál es la primera objeción del padre?

La peligrosidad ☐   El precio ☐

¿Qué otras razones da el padre para no querer comprarla?

¿Qué consejo le da al final el padre al hijo?

b) ¿Qué frase ha sido pronunciada?

– A pesar de lo que te imaginas, yo creo que la seguridad es buena.
– Pese a lo que te imaginas, yo creo que la seguridad es buena.

– Por el contrario, con la moto ganaría mucho tiempo.
– En cambio, con la moto ganaría mucho tiempo.

– Bueno, pero mucho menos que los demás vehículos.
– Bueno, sin embargo mucho menos que los demás vehículos.

– No creo que sea más peligroso que vivir.
– Dudo que sea más peligroso que vivir.

– En lugar de pedirme dinero para una moto, ahorra y cómpratela tú.
– En vez de pedirme dinero para una moto, ahorra y cómpratela tú.

c) La última pregunta del hijo contiene tres posibles razones para la negativa de su padre y una de ellas está expresada de forma familiar. ¿Cuál es? ¿Cómo lo diría usted más formalmente?

tercera etapa
EXPRESIÓN ORAL

 a) Di que no.

Se divide la clase por parejas. Un alumno prepara tres argumentos sobre un tema de su elección y su compañero prepara otros tres argumentos sobre un tema diferente. Ninguno de los dos debe conocer el tema de su compañero. El tiempo de preparación será de 5 minutos.

A continuación van saliendo por parejas. El primer alumno expone sus argumentos de uno en uno y su compañero (que no los conocía) tendrá que oponerse a ellos improvisando. Puede tener en la mano una hoja con los diferentes conectores de oposición. Dispone de 1/2 minuto para responder a cada argumento.

Después, al revés, el alumno que ha expuesto primero, tendrá que improvisar ante los argumentos de su compañero. El resto de la clase votará quién de los dos ha improvisado mejor.

 b) Di que sí.

Se vuelve a dividir la clase por parejas y esta vez los dos alumnos preparan la misma argumentación, aunque cada uno defenderá un punto de vista contrario.

Cada uno deberá inventarse tres argumentos, pero previendo los del otro. Así, podrá aceptarlos en parte y después convencerle de su propio punto de vista. Tienen 5 minutos de tiempo.

A continuación van saliendo por parejas. Cada una dispone de 3 minutos para su exposición. El resto de la clase, mediante votación, decidirá quién ha defendido mejor su postura.
Esta actividad se acabará cuando hayan intervenido todas las parejas.

EXPRESIÓN ESCRITA

 a) Transforme las siguientes frases en concesivas con los conectores que se indican en cada caso:

EJEMPLO

A PESAR DE (QUE) - *Se ha protegido el secreto profesional.*
La democracia no ha ganado mucho con ello.

A PESAR DE *haberse protegido el secreto profesional,*
la democracia no ha ganado mucho con ello.

A PESAR DE QUE *se ha protegido el secreto profesional,*
la democracia no ha ganado mucho con ello.

AUNQUE – Muchos países reconocen el aborto. Quieren volver a definir los términos.

A PESAR DE (QUE) – Comprendo lo que dices. Muchas madres educan solas a sus hijos.

CON TODO Y CON ESO – Ya sé que no te gustan las motos. Yo quiero que me compres una.

PESE A QUE – Las motos hacen mucho ruido. Contaminan menos que los demás vehículos.

 b) Transforme las siguientes frases concesivas en otras equivalentes construidas con la forma AUN + gerundio:

– Aunque es importante el secreto profesional, todavía lo es más la libertad de expresión.
– Es difícil de decidir, con todo y con eso me quedo con la libertad de expresión.
– A pesar de ser peligrosa, prefiero la moto a cualquier otro vehículo.
– Pese a que es difícil el aparcamiento en la calle, la moto se puede dejar en cualquier parte.

 c) Invente frases concesivas adecuadas para sustituir las expresiones marcadas:

EJEMPLO

- **QUIERAS O NO**, *a partir de mañana cogeré la moto para ir a la Universidad.*
- **AUNQUE ME LO PROHÍBAS**, *a partir de mañana cogeré la moto para ir a la Universidad.*

- **PASE LO QUE PASE**, publicarán el libro del doctor Gubler.
- **DIGAMOS LO QUE DIGAMOS**, nuestra opinión no cuenta para nadie.
- **HAGAS LO QUE HAGAS**, tu padre nunca está de acuerdo con tus proyectos.
- **SEA COMO SEA**, siempre tiene que hacer lo que él quiera.

 El teléfono móvil

¿Cree usted que es imprescindible disponer de un teléfono móvil? ¿O es de los que piensan que llevar ese aparato colgado de la cintura es una moda esnob?

Elija una opción y defienda su punto de vista. Para ello haga primero una lista con sus ideas y a continuación otra en la que figuren los posibles argumentos opuestos.

SUS IDEAS	POSIBLES ARGUMENTOS OPUESTOS

Redacte un texto donde demuestre que las opiniones contrarias no pueden hacerle cambiar de idea.
Para ello, es imprescindible usar frases concesivas.

REDACCIÓN

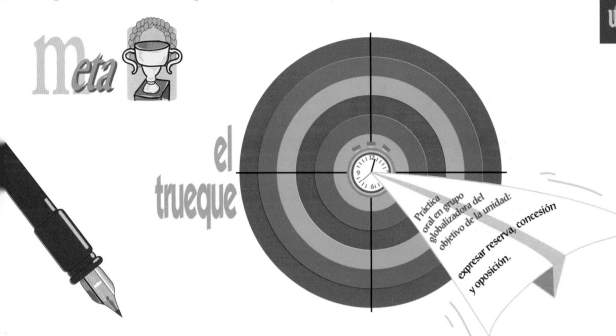

meta

el trueque

Práctica oral en grupo globalizadora del objetivo de la unidad:

expresar reserva, concesión y oposición.

Antiguamente la gente trocaba (cambiaba) las cosas y los bienes sin necesidad de recurrir al dinero. Viajaremos en el tiempo e imaginaremos que estamos en uno de esos mercadillos donde se trocaban unos productos por otros mediante una negociación de intercambio.

Desarrollo del ejercicio

1. Cada alumno llevará a clase uno o varios objetos de los que supuestamente quiere deshacerse (un disco, un libro, un collar, un llavero, etc.).

2. De uno en uno, los alumnos enseñarán sus objetos al resto de la clase y los describirán con detalle (su uso, utilidad, valor, etc.). (1 minuto cada alumno)

3. Tras haber presentado todos los objetos, comenzará el trueque un alumno cualquiera. Se pondrá delante de los demás y dirá con quién quiere hacer el intercambio y qué es lo que desea trocar. Tendrá que convencer al otro alumno de que le cambie el objeto. (2 minutos)

4. El ejercicio terminará cuando todos los alumnos hayan participado. Al final de la clase, lógicamente, se devolverán los objetos.

Normas para la exposición

– Para que el juego funcione bien, los alumnos tienen que comprometerse realmente en la negociación y los objetos deben ser originales y variados.
– También se pueden trocar servicios: hacer los deberes, ir a comprar algo, pasar los apuntes a limpio, etc.
– El trueque se efectuará mediante una negociación que consista en oponer un argumento a otro, manifestar reserva y hacer concesiones.

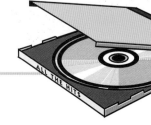

LA MENTE

en boca de todos
Frases hechas y expresiones figuradas

obstinacy

terquedad

a) Cerrarse alguien en banda.
b) Erre que erre.
c) No apearse del burro.
d) No dar alguien su brazo a torcer.
e) Metérsele a alguien algo en la cabeza.
f) Ser duro de mollera.

rechazo

g) Dar de lado.
h) ¡Para el carro!
i) ¡Que te den morcilla!
j) Mandar a alguien a freír espárragos.
   (¡Vete a freír espárragos!)
k) Mandar a alguien a la porra.
   (¡Vete a la porra!)

A Relacione las expresiones anteriores con las explicaciones que siguen.

1. Echar a una persona de un lugar o apartarla del trato. (2 expresiones)
2. Ser alguien generalmente muy terco, muy difícil de convencer.
3. Expresión que se usa para hacer callar a alguien que miente o habla nerviosamente.
4. Mantener alguien tercamente su opinión. (3 expresiones)

5. Empeñarse alguien con terquedad en hacer algo.
6. Expresión de rechazo y desprecio hacia alguien.
7. Con esta expresión indicamos que alguien está haciendo algo con una terquedad que no conduce a nada.
8. Apartarse del trato con alguien.

PRAGMÁTICA DE LA COMUNICACIÓN

UNA IMAGEN VALE +

Los movimientos del busto se asocian a las demás partes del cuerpo para expresar los estados interiores y traducir los sentimientos cuando nos expresamos oralmente. Relacione los gestos con el mensaje que expresan.

a. La inclinación del busto hacia adelante expresa _____

_____

_____

B Rellene los espacios en blanco con la frase figurada más adecuada.

— Mi hermana está empeñada en hacer régimen para adelgazar. Tiene el peso adecuado para su edad y su altura, pero a ella *se mete algo en la cabeza* que tiene que rebajar tres kilos, y no parará hasta conseguirlo.
— Le he dicho un montón de veces que salga a la calle bien abrigado, que aquí no hace tanto calor como en su pueblo, pero él *es duro de mollera*, siempre sale en mangas de camisa.
— Hace unos meses, cuando llegué, todo el mundo quería ser amigo mío. Pero ahora yo no sé qué ha pasado o de qué se han enterado, pero nadie me dirige la palabra y todos me *dan al lado* .
— Lucía vino a decirme muy enfadada que yo hablaba mal de ella por toda la Facultad. Le dije que era mentira, pero siguió discutiendo. Al final, la ....
— Es la tercera vez que se reúnen los representantes del sindicato con los directores de la empresa. Quieren llegar a un acuerdo sobre las mejoras salariales, pero la junta directiva ...., y así pueden pasar semanas.

C dibujando **EXPRESIONES**

¿Qué expresión está representada con este dibujo?

los movimientos del busto

d. El enderezamiento del **busto** es señal de _____
_____
_____

b. El busto echado para atrás manifiesta _____
_____
_____

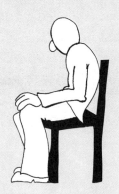

c. El hundimiento del **busto** denota _____
_____
_____

1. ensimismamiento y desánimo.

2. triunfo e intento de dominio.

3. una mayor implicación personal.

4. una falta de implicación en lo que se dice y menor respeto a las formas.

PREPARACIÓN

DIPLOMA BÁSICO DE ESPAÑOL COMO LENGUA EXTRANJERA

PRUEBA 1: COMPRENSIÓN DE LECTURA

A continuación encontrará un texto con una serie de preguntas. Marque la opción correcta.

El tatarabuelo tramposo

El más famoso precursor de las computadoras que juegan al ajedrez fue El Turco, un ingenio mecánico creado en 1769 por el barón húngaro Wolfgang von Kempelen, que debía su nombre a la ropa tradicional con que era cubierto para actuar en público.

El Turco tuvo un éxito apoteósico durante sus numerosas giras por Europa y América, ganando casi todas las partidas que disputaba. En 1836, Edgar Allan Poe publicó sus sospechas de que El Turco escondía a un hombre bajo su manto. El escritor tenía razón -el impostor era Allgaier, un prestigioso jugador alemán-, pero eso no se supo hasta que la máquina pereció en un incendio, en 1854.

Ya sin trampas, el ingeniero español Leonardo Torres Quevedo construyó en 1912 la primera máquina capaz de jugar al ajedrez, que ejecutaba con absoluta precisión el mate de torre y rey contra rey gracias a un engranaje de contactos eléctricos. Los restos de la máquina se conservan en la Universidad Politécnica de Madrid.

La posibilidad de que una computadora pudiese intervenir de forma ilegal en una partida entre humanos se hizo patente en el Open de Filadelfia de 1992. Un desconocido, inscrito bajo el apellido Von Neumman, sorprendía por su tremenda irregularidad: un día hacía jugadas magníficas, dignas de astros del tablero, y ganaba a algunos de los favoritos; al día siguiente, cometía errores espantosos. En realidad, apenas sabía mover las piezas; la calidad de su juego dependía de que funcionara bien su conexión, a través de un microauricular, con una computadora instalada en otra habitación. Entonces se empezó a hablar de instalar detectores de metales en los torneos; pero hay microauriculares indetectables. La posibilidad de fraude sigue abierta.

Adaptado de *El País*

PREGUNTAS

1 En 1769, un ingeniero mecánico inventó una máquina, llamada El Turco, para jugar al ajedrez.
a) verdadero   b) falso

2 En 1836, Edgar Allan Poe descubrió que un hombre se escondía en la máquina.
a) verdadero   b) falso

3 El Turco era alemán.
a) verdadero   b) falso

4 La máquina construida por Torres Quevedo:
a) funcionaba con microauriculares indetectables.
b) ejecutaba el mate al rey por medio de contactos eléctricos.
c) no ha desaparecido totalmente.

5 Según el texto, hoy en día:
a) las técnicas de fraude son cada vez más sofisticadas.
b) es imposible que un ordenador pueda intervenir de forma ilegal en una partida.
c) no se puede ganar jugando al ajedrez contra un ordenador.

PRUEBA 2: EXPRESIÓN ESCRITA

PARTE 1: CARTA

Redacte una carta de 150-200 palabras (unas 15-20 líneas). Comience y termine la carta como si ésta fuera real.

Usted ha sido invitado al cumpleaños de un amigo español, pero no puede asistir. Escriba una carta en la que deberá:
- lamentar no poder asistir al cumpleaños;
- explicar los motivos de su ausencia;
- hablar del regalo que le envía;
- desearle un feliz cumpleaños y proponerle verle más tarde.

PARTE 2: REDACCIÓN

Escriba una redacción de 150-200 palabras (unas 15-20 líneas).

"La televisión ocupa la mayor parte del tiempo libre de los niños y encima presenta cada vez más escenas violentas". Exprese su opinión a favor o en contra de esta afirmación por medio de un escrito que contenga:
- sus razones a favor o en contra;
- algunos ejemplos que puedan apoyar estos argumentos;
- su opinión ante este hecho;
- las soluciones que propone y una breve conclusión.

PRUEBA 3: COMPRENSIÓN AUDITIVA

Escuche dos veces el texto. Después dispondrá de tiempo para seleccionar la opción correcta entre las siguientes.

PREGUNTAS

1 El padre del narrador se jubiló hace unos meses.
a) verdadero   b) falso

2 El peluquero había ido guardando en los bajos de su local muchísimos kilos de pelo.
a) verdadero   b) falso

3 La admiración por la trenza encontrada fue tan grande que no pudieron acabar el trabajo.
a) verdadero   b) falso

4 Todos en el pueblo:
a) pensaban que esta mujer no era del pueblo.
b) recordaban a la mujer a quien pertenecía la trenza.
c) pensaban que el peluquero era un gran charlatán.

5 Por fin, la trenza:
a) encontró de nuevo a su propietaria.
b) fue colgada, en la plaza del pueblo, para ser admirada por todos.
c) acabó en la basura con el resto de pelo.

PRUEBA 4: GRAMÁTICA Y VOCABULARIO

SECCIÓN 1: TEXTO INCOMPLETO

Complete el siguiente texto eligiendo para cada uno de los huecos una de las tres opciones que se le ofrecen.

¿Cuál es la mascota que más te conviene?

Muchas veces olvidamos factores importantes a la hora de elegir cuál será nuestra mascota, como por ejemplo el tiempo que vivirá. Si ...1... un perro, deberás estar dispuesto a compartir con ...2... al menos trece años. No es mucho si lo comparas con el tiempo que ...3... acompañar un loro gris de cola roja, que vive nada menos que 70 años; o una tortuga de Florida, que puede fácilmente pasar a formar ...4... del legado familiar; en ocasiones este reptil acuático supera con creces los 100 años de vida.
También, no hay que olvidar que tendrás que prever un presupuesto anual para tu animal favorito. Para calcular estos ...5..., no basta con tener en cuenta el presupuesto destinado a su alimentación, higiene o atención veterinaria: también ...6... pensar en otros gastos extraordinarios, como el cuidado en periodo de vacaciones o la vacunación. Todo esto sin contar que eres el responsable civil de los daños que ...7... tu mascota, por lo que siempre es recomendable contratar un seguro de responsabilidad civil, en previsión de ...8... daño que pueda cometer: si tu perro o tu gato hiere a ...9..., la atención médica del lesionado correrá a tu cargo. Por eso conviene que hagas ...10... antes de decidirte a acogerlo.

Adaptado de *QUO*

1 a) compres
b) compras
c) comprarás

2 a) el
b) ello
c) él

3 a) te puede
b) te pueda
c) te pudiera

4 a) partida
b) parte
c) partido

5 a) cuentas
b) cuentos
c) gastos

6 a) tengo que
b) hace falta que
c) hay que

7 a) ocasione
b) ocasionó
c) ocasionaba

8 a) cualquiera
b) cualquier
c) alguno

9 a) alguien
b) alguno
c) algún

10 a) cuentos
b) cuentes
c) cuentas

SECCIÓN 2: SELECCIÓN MÚLTIPLE

EJERCICIO 1

En cada una de las frases siguientes se ha marcado con letra **negrita y cursiva** un fragmento. Elija entre las tres opciones de respuesta, aquélla que tenga un significado equivalente al del fragmento marcado.

1
- ¿Has oído hablar de un guitarrista que se llama Paco de Lucía?
- Pues la verdad es que **no me suena**.
a) no lo he visto
b) no lo conozco
c) no vale nada

2
- ¿Conoces a Alicia Hernández?
- Sí, **me llevo muy bien con ella**.
a) hace mucho que la conozco
b) me divierto mucho con ella
c) tengo una buena relación con ella

3
- ¿Has visto la película *El cri men de Cuenca*?
- Sí, y me ha parecido **un rollo**.
a) muy interesante
b) muy aburrida
c) muy larga

4
- ¿Estáis preparados para ir a la montaña?
- Sí, todos **estamos listos**.
a) estamos preparados
b) somos muy inteligentes
c) tenemos mucha experiencia

5
- Pero, ¿qué le pasa a Jorge?
- No sé, pero **tiene mala cara**.
a) está angustiado
b) está de mal humor
c) debe de estar enfermo

EJERCICIO 2

Complete las frases siguientes con el término adecuado de los dos o cuatro que se le ofrecen.

1
- No te vi en el cine el miércoles.
- Es que no ... ir porque no me encontraba bien.
a) podía   b) pude

2
- Perdone, para ir a Burgos ¿vamos bien ... aquí?
- Sí, siga recto y ya verá las indicaciones.
a) por   b) para

3
- ¿Por qué no me contestas?
- Porque no tengo ... que decir.
a) nada   b) algo

4
- Como mejor me lo paso ... escuchando música.
- Yo prefiero leer un libro.
a) es   b) está

5
- El año pasado ... de vacaciones a Marbella.
- Y ¿dónde vais este año?
a) estuvimos   b) fuimos

6
- Me parece a mí que Ramón no encontrará trabajo.
- No te creas, es más inteligente ... parece.
a) que   c) que lo que
b) de la que d) de lo que

7
- ¿Qué tiempo hace en tu ciudad?
- Muy bueno, no creo que ... este fin de semana.
a) llueva   c) lloverá
b) llueve   d) lloviera

8
- ¿Vas mucho al teatro?
- Sí, ... estrenan una nueva obra.
a) mientras   c) puesto que
b) cada vez que d) ya que

9
- No sé si ir a la ciudad o quedarme aquí. ¿Tú qué me aconsejas?
- Que ... aquí; hace mucho frío.
a) te quedas   c) te quedes
b) te quedarás   d) te quedarías

10
- ¡Corre! ... no salgamos ahora mismo, perdemos el tren.
- ¡Ya voy! Podéis ir sacando el coche.
a) Si   c) Cuando
b) Aunque   d) Como

11
- Quizás vaya a visitarte durante el fin de semana.
- Pues me alegraría mucho de que ... .
a) hayas venido c) vendrías
b) vienes   d) vinieras

12
- Voy a hacer la comida.
- Por favor, cuando ... lista nos llamas.
a) estuviera   c) esté
b) estaba   d) estará

13
- ¿Qué hace Benito ahora?
- Está ... cónsul en Alemania.
a) para   c) el
b) de   d) por

14
- Sería mejor que nos ... lo que ocurrió el otro día en tu casa.
- Sí, claro, pero no puedo decirlo.
a) cuentas   c) contarás
b) contaras   d) contarías

15
- ¿Lo has invitado a la fiesta?
- Sí, pero a lo mejor no ... .
a) venga   c) viniera
b) viene   d) vino

PRUEBA 5: EXPRESIÓN ORAL

SECCIÓN 1: PRESENTACIÓN DE UNA LÁMINA

Describa lo que sucede en las tres primeras viñetas, y en la cuarta póngase en el lugar de uno de los personajes y diga lo que él o ella diría en esa situación.

SECCIÓN 2: EXPOSICIÓN DE UN TEMA

Escoja un tema y haga una exposición durante dos o tres minutos. Los puntos que se le proponen son sugerencias para desarrollar libremente el tema.

TEMA 1: LOS TRASPLANTES DE ÓRGANOS

- Para que haya trasplantes tiene que haber donantes. ¿Sería usted donante?
- El mercado de órganos. Trasplantes desinteresados.
- Trasplantes de órganos de animales a humanos.

TEMA 2: LA MODA

- ¿Sigue usted, generalmente, las indicaciones de la moda?
- ¿Considera la moda como una expresión artística más, al lado de la pintura o la escultura?
- ¿Cree usted que la imagen física de una persona es importante para la valoración que hacemos de las personas?

TEMA 3: PREOCUPACIÓN POR EL FUTURO

- ¿Cree usted que es posible conocer el futuro? ¿Por qué?
- ¿Consulta habitualmente su horóscopo en la prensa? ¿Por qué?
- ¿Por qué cree que la gente se interesa por estos temas?

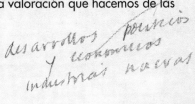

unidad 7

DE COLOR DE ROSA

Objetivo

Justificar los argumentos con ejemplos.

Salida

El pensamiento positivo

VIÑETA Nº13, pág. 184

Introducción En el mundo en que nos ha tocado vivir dominan el estrés y la angustia, el miedo al presente y, sobre todo, al futuro. Frente a esta situación, conviene quizás hacer más caso a los que defienden ideas positivas.

Argumentos

En primer lugar, el pensamiento positivo hace que las personas tengan confianza en sí mismas, y esto es la clave que las lleva al éxito.

En segundo lugar, el pensamiento positivo dota al ser humano de muy buenas cualidades: como la tenacidad, el entusiasmo o la creatividad. Gracias a ellas liberamos energías para superar obstáculos.

En tercer lugar, el pensamiento positivo nos mantiene en una buena salud. En caso de enfermedad física, permite una curación más rápida; y si los problemas son psicológicos, el pensamiento positivo evita que nos obsesionemos con el dolor, haciéndonos aceptar las cosas con más facilidad.

Por último, podemos decir que el pensamiento positivo nos da la alegría de vivir. Nos permite vivir relajados, sin estrés ni angustia. Hace que seamos más competentes y facilita nuestra relación con los demás.

Ejemplos

He aquí un ejemplo: en el efecto Pigmalión, si un profesor trata al alumno como si fuera un buen alumno (animándole, felicitándole, etc.), éste tenderá a comportarse como tal.

Lo prueba el hecho de que Paul-Emile Victor, cuando emprendió las expediciones polares, se apoyó sobre un sistema de pensamiento positivo, que le permitió sacar energías extraordinarias que fueron el origen de su éxito.

Los buenos resultados obtenidos por la sofrología[1] basados en estos principios demuestran lo dicho claramente. Lo mismo podríamos decir de las medicinas placebo[2].

El pensamiento positivo hace que, por ejemplo, si se retrasa alguien a quien esperamos, no nos inquietemos con la idea angustiosa de que ha sufrido un accidente, sino que esperemos tranquilamente, confiados en que todo va bien y pronto llegará.

Léxico

[1] **sofrología**: ciencia que estudia la curación de los problemas a través de ejercicios físicos (relajación, yoga, etc.).

[2] **medicinas placebo**: sustancias inactivas que curan a un enfermo, si éste las toma convencido de que son realmente curativas.

1 Después de leer el texto El pensamiento positivo, redacte una pequeña conclusión.

2 Elija un argumento del texto y ponga usted otro ejemplo distinto.

3 Sustituya los conectores subrayados del texto anterior por otros adecuados de la siguiente lista:

A MODO DE EJEMPLO

AHÍ ESTÁN LOS DATOS QUE LO DEMUESTRAN

AQUÍ TIENES UN EJEMPLO

COMO EJEMPLO

COMO HE PODIDO COMPROBAR / VERIFICAR

CON UN EJEMPLO LO ENTENDEREMOS MEJOR

ESTO ILUSTRA BIEN LO QUE QUIERO DECIR

ESTO PODRÍA SERVIR DE EJEMPLO

LA PRUEBA ES QUE

PENSEMOS EN

PONGAMOS POR CASO

PONGAMOS UN EJEMPLO

POR NO CITAR MÁS QUE UN CASO

PRUEBA DE ELLO

RAZÓN DE PESO ES

SIRVA / VALGA DE EJEMPLO

UN CASO EVIDENTE ES

uso de la lengua

dirigirse al oyente

Para influir sobre el que nos escucha, con la intención de convencerle de algo, darle órdenes o consejos, se usan las **frases apelativas**.

● Las más importantes son las que se expresan en **imperativo**.

> **EJEMPLOS**
>
> *Conduce con cuidado, respeta las señales.*
>
> *Vivid bien, pensad positivamente.*
>
> *Pongamos un ejemplo y lo entenderemos mejor.*
>
> *Venga usted por aquí, lo acompaño.*
>
> *Pasen, pasen, les están esperando.*

● **Recuerde** cómo cambia la forma del imperativo para **tú** y **vosotros** cuando es negativo.

> **EJEMPLOS**
>
> *No conduzcas distraídamente.*
>
> *No viváis con inquietud.*

El **presente** y el **futuro de indicativo** pueden usarse con valor de imperativo.

> **EJEMPLOS**
>
> *Sales a la calle y me compras el periódico.*
>
> *Harás lo que te digo y no hay más que hablar.*

● Con **infinitivos** también pueden hacerse frases apelativas.

> **EJEMPLOS**
>
> *Prohibido entrar.*
>
> *No fumar.*

● Asimismo, con la preposición **A** + **infinitivo**.

> **EJEMPLO**
>
> *¡A dormir!*

● Y con la expresión **A VER SI...**

> **EJEMPLO**
>
> **A VER SI** *escribes más a menudo.*

COMPRENSIÓN ESCRITA

El progreso

Todos estamos de acuerdo en que la Ciencia aplicada a la tecnología ha cambiado la vida moderna. Prueba de ello es que en la actualidad tenemos cosas que nuestros abuelos o incluso nuestros padres no hubieran podido imaginar.

No obstante, todo progreso supone un paso atrás. Pongamos por ejemplo el insecticida DDT. Este descubrimiento alivió a los soldados de la Segunda Guerra Mundial de la plaga de parásitos. Después se aplicó contra la malaria y otras enfermedades tropicales. La Humanidad se entusiasmó. Pero unos años más tarde se descubrió una contrapartida: este insecticida se ha incorporado a los organismos animales (incluido el hombre) de manera alarmante.

Algo parecido podría decirse de algunos inventos técnicos: automóviles, aviones, cohetes. Estos inventos aportan, sin duda, grandes ventajas al hombre (de tiempo, de comodidad, etc.). Sin embargo, y por poner sólo un ejemplo, un aparato supersónico que se desplaza de París a Nueva York consume durante las seis horas de vuelo una cantidad de oxígeno aproximada a la que, durante el mismo tiempo, necesitarían 25.000 personas. Y a la Humanidad ya no le sobra oxígeno.

Pero, ¿y la Medicina?, dirán los optimistas. ¿También hay alguna objeción que hacer al progreso de la Medicina? ¿No se ha doblado en poco tiempo el promedio de la vida humana? ¿No se ha conseguido acabar prácticamente con las enfermedades infecciosas? Esto es verdad, pero hay que tener en cuenta que también en este campo se producen contrapartidas. Con un ejemplo lo entenderemos mejor: gracias al descubrimiento de los antibióticos, la población mundial se ha doblado en los últimos 30 años; eso significa que si se sigue el ritmo alcanzado, los 3.500 millones de personas que había en 1970 se convertirán en 56.000 antes de acabar el siglo XXI.

La pregunta que me hago es: ¿habrá alimentos para todos? Si este progreso del que hoy nos alegramos no ha conseguido acabar con el hambre de dos tercios de la población actual, ¿qué se puede esperar del futuro?

Texto adaptado de *Un mundo que agoniza*, de Miguel Delibes. Ed. Plaza y Janés.

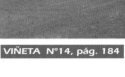

a) Todos los ejemplos del texto tienen un aspecto positivo y otro negativo.

> **FÍJESE**
>
> *El descubrimiento del insecticida DDT*
>
> – Aspecto positivo: libró a los soldados de los parásitos.
> – Aspecto negativo: sustancia que se ha incorporado a los organismos animales.

VIÑETA N°14, pág. 184

Ahora señale lo positivo y lo negativo de otros dos ejemplos del texto.

b) Después de leer este texto, ¿cree usted que el autor está de acuerdo con el progreso o no? Justifíquelo.

c) Habrá observado que abundan los conectores para introducir ejemplos. Pero también los hay que expresan concesión y oposición (estudiados en la Unidad 6). Señálelos.

d) Miguel Delibes juega con el significado de la palabra *progreso* y dice: "Todo progreso supone un paso atrás".

Esto es como decir que "todo progreso es un retroceso", poniendo en contacto dos antónimos (palabras de significado contrario).
Busque en el texto antónimos de:

> antigua, antigüedad, desanimó, diferente, empezar,
> enfermó, falso, falta, nadie, pesimistas, quitan, respuesta

COMPRENSIÓN ORAL   **Acento mexicano**

Te quiero con todo mi cerebro.

a) ¿Cuál es el tema que se defiende en esta grabación?

- Los mitos siempre mienten.
- Los mitos son falsos, pero hermosos.
- Hay mitos muy hermosos que hay que romper.
- Los mitos mentirosos hay que romperlos.
- Hay que romper todos los mitos, tantos los hermosos como los mentirosos.

b) Aparecen mencionados tres mitos como ejemplo. El primero es: "Los niños son traídos por cigüeñas". ¿Cuáles son los otros dos?

c) ¿Cuál de los siguientes conectores ha escuchado?

> COMO EJEMPLO / SIRVA DE EJEMPLO / VALGA DE EJEMPLO / A MODO DE EJEMPLO

unidad

d) Intente completar con las palabras que faltan las siguientes frases que han sido pronunciadas:

– Ni siquiera se tuvo la precaución de traducir para ....
– No del corazón o del cerebro, no: de la ....
– Debiéramos ensayar el dibujo de un ....
– El matrimonio y la unión es eso: .... y ....

tercera etapa
EXPRESIÓN ORAL

a) Por favor, póngame un par de ejemplos.

Para este ejercicio oral la clase se dividirá en parejas y cada una elegirá una de las siguientes cuestiones:

– ¿Es mejor gastar que ahorrar?
– ¿Era más feliz antes la gente?
– ¿Es bastante severa la disciplina en los centros de enseñanza?
– ¿Hay demasiada libertad en la prensa actual?
– ¿Es responsable la TV del aumento de robos y agresiones?

ansura

Cada miembro de la pareja tratará de convencer a la clase de su opinión. Dispondrá de 2 minutos y será obligatorio ilustrar sus argumentos con al menos dos ejemplos. Después el resto del grupo decidirá quién les ha convencido.

b) ¿Qué se defiende?

Busque un titular en la prensa que pueda servir como ejemplo para una argumentación. Después invente y formule un argumento que pueda desarrollarse a partir de ese titular.

CINE   26 de MAYO de 1997

EL CHAFARDERO

En los cuatro grandes festivales cinematográficos europeos triunfaron películas extremadamente violentas

BERLIN. EFE
En los ultimos años el cine se ha convertido
en un expositor de violencia segú
los estudios rea
lizad

EJEMPLO DE ARGUMENTACIÓN

Aumenta peligrosamente la demanda de consumo de imágenes brutales, sangrientas e incluso en ocasiones literalmente salvajes. Prueba de ello es que en los cuatro grandes festivales cinematográficos europeos triunfaron películas extremadamente violentas.

cuarta etapa
EXPRESIÓN ESCRITA

a) Lea el siguiente texto argumentativo:

Últimamente, el turismo rural se ha puesto de moda. La gente ha vuelto a descubrir los placeres del campo después de haber pasado numerosos veranos en la playa.

Se trata de un fenómeno social algunas de cuyas características son:

1. El turismo rural está experimentando una gran expansión.

2. No todos los agricultores aceptan gustosamente la llegada de los turistas.

3. El turismo es el responsable del aumento del precio de las tierras.

4. Con la llegada del verano, en algunos pueblos la población se multiplica por cinco, y a veces incluso por diez.

Ahora relacione los ejemplos siguientes con las características anteriores que correspondan. Escriba primero los conectores que faltan:

a) .... en el norte de Huesca, en dos años, el precio de las tierras ha aumentado el 65%, lo cual causa evidentes problemas a los jóvenes agricultores.

b) .... en España, en 1997, se contabilizaron diez millones de turistas en el medio rural.

c) .... Orcau, un pueblo de Lleida, tiene normalmente trescientos habitantes, pero en verano su población alcanza los dos mil.

d) .... a veces se producen incidentes en la zona de Elizondo con los turistas de otras regiones.

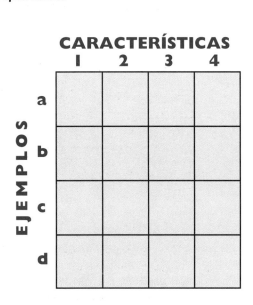

EJEMPLOS	CARACTERÍSTICAS			
	1	2	3	4
a				
b				
c				
d				

unidad

b) A veces una frase sin verbo o una interrogación retórica pueden tener carácter apelativo. Ambas se usan con frecuencia en publicidad, para persuadir.

Siéntase cada vez más joven con crema Aurora

FRASE SIN VERBO:
Para su juventud y belleza: crema Aurora.
INTERROGACIÓN RETÓRICA:
¿Por qué no prueba la crema Aurora? Su piel se lo agradecer

Haga usted lo mismo con las siguientes frases.

– Manténgase en buena forma. Haga deporte.
– Piensa en positivo. Colabora en la campaña contra el SIDA.
– Entre en el Banco de Madrid y recoja un folleto. Es un obsequio para usted.
– No tengas prisa. TómaTE tu tiempo.

c) **Véndete.**

El tono de las cartas comerciales tiene que ser respetuoso y distante, ya que hay poca confianza con el destinatario. Por eso, el saludo y la despedida son quizás los rasgos más característicos. Veamos algunas fórmulas de cortesía establecidas:

-Para el saludo:
Sr. Director, Muy Sr. mío/ nuestro, Muy Sres. míos/ nuestros.
-Para la despedida:
Atentamente, Le saluda atentamente, Suyo afectísimo, Con nuestros atentos saludos, Aprovecho la ocasión para ofrecerle mis respetos, Con nuestra consideración…

MEMBRETE
(datos del emisor)

DESTINATARIO
(nombre y dirección del destinatario)

FECHA

ASUNTO (motivo de la carta)

AERO SOL

Viajes AEROSOL
C/ Pista Libre, 200
Ave (Alicante)

Sr. D. Félix Lejano
C/ Vuela Alto, 22
Madrid

Ave, 12 de Abril de 1997

Asunto: viajes para la Tercera Edad

SALUDO

Distinguido cliente:

CUERPO

Nos complace presentarle los nuevos destinos turísticos que por su calidad y atractivos pueden ser de su interés. Se trata de una promoción especial, en la que hemos seleccionado cinco itinerarios para que usted pueda elegir el que más le agrade, con la seguridad y garantía de nuestra organización. En el folleto adjunto encontrará mayor información sobre ellos. En cualquier caso, no dude en consultarnos.

Cordialmente.

Fdo. Marta Alegría

DESPEDIDA

FIRMA

Cuando se trata de vender algo, no hay mejor producto que uno mismo. Envíe una carta comercial a una empresa ofreciéndose para algún trabajo. Enumere sus cualidades, sus aficiones, sus deseos… No olvide demostrar todo ello mediante ejemplos.

meta

la campaña publicitaria

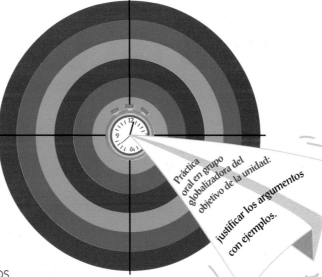

Práctica oral en grupo globalizadora del objetivo de la unidad: justificar los argumentos con ejemplos.

Se trata de realizar una campaña publicitaria. Para ello, los alumnos traerán a clase, o se les proporcionarán, anuncios de la prensa española o hispanoamericana, que servirán como modelo.

Desarrollo del ejercicio

1. La clase se divide en grupos de tres y cada grupo elige su propio tema. (5 minutos)

2. Cada grupo debe confeccionar: un anuncio oral para emitir por una emisora de radio, un folleto con un texto argumentativo y un cartel para publicar en la prensa o exponer en la calle. Todo ello sobre el mismo tema. (20 minutos)
Los tres miembros del grupo trabajan conjuntamente en cada apartado de la campaña.

3. A continuación cada grupo dispone de 5 minutos para exponer ante la clase en qué consiste su campaña. El primer alumno enseña el cartel y atiende las consultas que haga la clase sobre su significado; después, el segundo lee el anuncio de radio, como si estuviera emitiéndolo realmente por una emisora; y por último el tercero explica cómo está elaborado el folleto.

4. Al final de todas las exposiciones, la clase vota por separado cuál es el mejor cartel, el mejor anuncio de radio y el mejor folleto.

Normas para la exposición

– Observar muestras de anuncios publicitarios reales para ver las técnicas utilizadas: decidir cuáles no consiguen despertar el interés y cuáles son atractivos para tomarlos como modelos.
– Inventar un eslogan corto e ingenioso procurando usar palabras con doble sentido. Y utilizarlo en los tres apartados de la campaña.
– Crear frases apelativas que llamen la atención.
– Los textos, tanto orales como escritos, deben estar compuestos por frases breves. No olviden incluir ejemplos ilustrativos.
– En el folleto deberán utilizarse diferentes tamaños de letra para hacer más fácil y atractiva su lectura. El cartel tendrá que tener más dibujos o fotografías que texto. Y el anuncio de radio tendrá que ser leído con una entonación llamativa.

LA MENTE

en boca de todos
Frases hechas y expresiones figuradas

---

optimismo, facilidad

a) Estar algo a huevo.
b) Estar algo chupado / tirado.
c) Llegar y besar el santo.
d) Ser el huevo de Colón.
e) Ser pan comido.
f) Ser un juego de niños.
g) Verlo todo de color de rosa.

A Relacione las expresiones anteriores con las explicaciones que siguen.

1. Ser una cosa muy fácil de hacer. (5 expresiones)
2. Conseguir algo positivo muy rápidamente.
3. Ser muy optimista.

B ¿Sabe qué otro color se utiliza para expresar lo contrario de Verlo todo de color de rosa?

C Subraye las frases hechas que hay en el siguiente mini diálogo. Diga cuáles expresan optimismo y cuáles pesimismo.

Aprender a usar bien el ordenador tiene tela. No sé si lo conseguiré alguna vez.

Pero, ¿qué dices? Si eso es coser y cantar. En dos días aprendes lo indispensable y luego todo viene rodado.

PRAGMÁTICA DE LA COMUNICACIÓN

Cuando nos comunicamos, a veces nos sentimos agredidos por los demás y necesitamos canalizar la tensión con un comportamiento de defensa. Existen varios gestos de defensa que nos sirven de barrera de protección.

a. Manos sobre las orejas, codos en la mesa.

D Complete los espacios con las expresiones adecuadas.

FÁBULA

Un perro llevaba un trozo de carne en la boca y al pasar junto a un río vio reflejada su propia imagen en el espejo de las aguas. Se paró a mirar y pensó: "Quitarle la carne a ese perro....................... , porque está ahí parado sin moverse". Sin embargo, al abrir la boca para quitárselo, se le cayó el trozo que llevaba. El pobre pensó que aquello iba a ...., pero en realidad resultó un fracaso porque lo perdió todo.

E dibujando EXPRESIONES

¿Qué expresión está representada con este dibujo?

os gestos de defensa

b. Brazos cruzados.

d. Reajuste del aspecto exterior: colocación de la ropa, carraspeo, tos, cambio de posición en la silla.

c. Manos que se frotan.

¿Recuerda a cuál de estos gestos lo denominamos "parachoque"?

MÓNTATELO BIEN

Objetivo

Justificar con argumentos de autoridad.

Salida

Conservar la Naturaleza es progresar

VIÑETA N°15, pág. 184

Introducción	El hombre de hoy usa y abusa de la Naturaleza como si fuera el último habitante de este pobre planeta, como si detrás de él ya no hubiera un futuro. La Naturaleza se ha convertido así en una víctima del progreso.

El biólogo australiano Macfarlane Burnet **hace notar** en uno de sus libros más importantes que: "Si utilizamos el progreso para la satisfacción a corto plazo de nuestros deseos de confort, seguridad y poder, encontraremos a largo plazo que estamos creando una trampa mortal de la que será difícil librarnos".

Poner de relieve

Conviene destacar que la demanda interminable y progresiva de la industria no puede ser atendida sin descanso por la Naturaleza, pues sus recursos[1] se acaban. Y actualmente el hombre empieza a tocar ya las tristes consecuencias del despilfarro[2] iniciado con la era industrial. **Digna de mención** es la advertencia de la Oficina de Minas de los Estados Unidos al respecto: "Las reservas mundiales de plomo, mercurio y platino durarán unos lustros[3]; poco más las de estaño y cobre, y apenas un par de siglos las de hierro y petróleo". ¿Qué suponen estos plazos en la vida de la Humanidad?

No estaría mal recordar aquí lo que dijo Michel Bosquet en Le Nouvel Observateur: "La Humanidad ha necesitado treinta siglos para tomar impulso, y ahora apenas le quedan treinta años para frenar ante el precipicio".

Interpretar / modificar

Aunque la novelista americana Mary Mc Carthy dijo: "La Naturaleza ha muerto", **yo creo** que no es tan dramático, pues el hombre tiene todavía un margen de tiempo relativamente amplio para enmendar[4] sus errores.

Poner de relieve

Pero quiero que quede bien claro que en la Naturaleza apenas cabe el progreso. Pues gastar lo que no puede reponerse refleja un estadio de civilización voraz y dice muy poco en favor de la escala de valores del mundo contemporáneo.

Conclusión

En definitiva, todo lo que sea conservar es progresar; todo lo que signifique alterar la Naturaleza es retroceder.

Argumentos de autoridad

Texto adaptado de *Un mundo que agoniza*, de Miguel Delibes. Ed.Plaza y Janés.

---

[1] **recursos**: riquezas, medios de subsistencia.
[2] **despilfarro**: derroche. Gasto excesivo e innecesario.
[3] **lustro**: período de cinco años.
[4] **enmendar**: corregir, rectificar.

Salida

1 Busque en el texto las expresiones "crear una trampa mortal" y "frenar ante el precipicio". ¿Qué significado tienen?

2 Dividan la clase en grupos para que cada uno haga la síntesis de un apartado:

   a) La introducción y la conclusión.
   b) Los argumentos de autoridad.
   c) Poner de relieve.
   d) Interpretar / modificar.

3 ¿Cree usted que el autor está en contra del progreso?
Entonces, ¿qué propone?

uso de la lengua

el estilo indirecto

- Llamamos estilo directo a la reproducción exacta de palabras tal y como las dijo su autor.

EJEMPLO

Mary Mc Carthy dijo: "La Naturaleza ha muerto".

Como se ve, la cita suele ponerse **entre comillas**.

- En cambio, el estilo indirecto es la reproducción más o menos fiel de las palabras de alguien.
La cita va introducida por la conjunción **QUE** y el verbo normalmente cambia. En este caso no va entre comillas.

EJEMPLO

Mary Mc Carthy dijo **QUE** *la Naturaleza había muerto.*

- Si la cita es una pregunta, el estilo indirecto la convierte en una pregunta indirecta (ya estudiadas en la Unidad 3).

EJEMPLO

Mary Mc Carthy preguntó: "¿Ha muerto la Naturaleza?" (estilo directo).
Mary Mc Carthy preguntó **(QUE) SI** *había muerto la Naturaleza (estilo indirecto).*

uno Clasifique los conectores siguientes según para lo que sirvan:

COMO AFIRMA / CABE SUBRAYAR / NO PUEDO DEJAR DE CITAR A /
VALE LA PENA INSISTIR EN / EN CONTRA DE LA TEORÍA DE... YO SOSTENGO QUE /
NO DESEARÍA TERMINAR SIN HACER REFERENCIA A / SI MAL NO RECUERDO FUE... QUIEN
ESCRIBIÓ / QUIERO RECALCAR LO SIGUIENTE / CON ESTO HACEMOS ALUSIÓN A /
REFIRIÉNDONOS A / COMO DIJO - ESCRIBIÓ

Citar a alguien

DIGNO DE MENCIÓN ES
...HACE NOTAR
NO ESTARÍA MAL RECORDAR AQUÍ
LA FRASE DEL CÉLEBRE AUTOR
...ES DE OBLIGADA REFERENCIA
...(NOS) DICE
...OPINA QUE

Poner de relieve

CONVIENE DESTACAR
QUIERO QUE QUEDE BIEN CLARO QUE
ME CONSTA QUE
ME GUSTARÍA PONER DE RELIEVE
Y QUE CONSTE QUE

Interpretar / Modificar

A PESAR DE LO QUE DIJO... YO OPINO QUE
HAY AUTORES QUE OPINAN QUE...
PERO PIENSO QUE

dos ¿Recuerda usted alguna frase famosa que se refiera a la Naturaleza? Escríbala con un conector adecuado. Si no recuerda ninguna, invéntesela.

primera etapa
COMPRENSIÓN ESCRITA

Hombre, hombre. Mujer, mujer

Desde siempre se ha considerado la homosexualidad como un tabú y un horror. Las relaciones sexuales entre personas del mismo sexo se han visto como un peligro para la continuidad de la raza humana, un error de la naturaleza o un vicio depravado. Por todo ello se ha discriminado a los homosexuales, se les ha despreciado y ridiculizado.

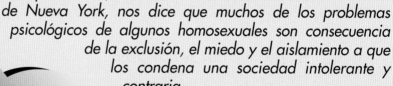

Aún se desconoce la causa de la homosexualidad; hay especialistas que opinan que es una característica genética, otros dicen que es adquirida. Pero me gustaría poner de relieve que, sea cual sea su origen, la orientación homosexual no es una enfermedad, no se contagia, ni es el resultado de ciertas experiencias de la niñez.

Aquí vendría bien recordar lo que escribió Sigmund Freud: "La homosexualidad ocurre en personas que no muestran ninguna desviación de lo normal, en individuos que se distinguen a menudo por su superior desarrollo intelectual y por sus principios éticos. Muchos grandes hombres han sido homosexuales: Platón, Miguel Ángel, Leonardo da Vinci. Perseguir la homosexualidad como un crimen es una gran injusticia y también una crueldad".

Vale la pena insistir en que hoy día en muchas comunidades los hombres y mujeres homosexuales siguen siendo una minoría humillada y oprimida. Por eso, el psiquiatra Luis Rojas Marcos, comisario de los Servicios de Salud Mental de Nueva York, nos dice que muchos de los problemas psicológicos de algunos homosexuales son consecuencia de la exclusión, el miedo y el aislamiento a que los condena una sociedad intolerante y contraria.

Pienso que, al final, la sociedad reconocerá que la homosexualidad no supone debilidad de carácter, ni deformación moral, ni desequilibrio mental. La humanidad evoluciona y progresa hacia la tolerancia, como ha pasado con los derechos de la mujer o la aceptación de las minorías religiosas.

a) Para apoyar las ideas, se citan especialistas en el tema. ¿Quiénes son esos especialistas? Resuma en una frase lo que dice cada uno de ellos.

b) A lo largo del texto encontrará algunas ideas que se ponen especialmente de relieve. Escríbalas y señale los conectores que se utilizan.

VIÑETA Nº16, pág. 184

segunda etapa
COMPRENSIÓN ORAL

Acentos cubano y neutro

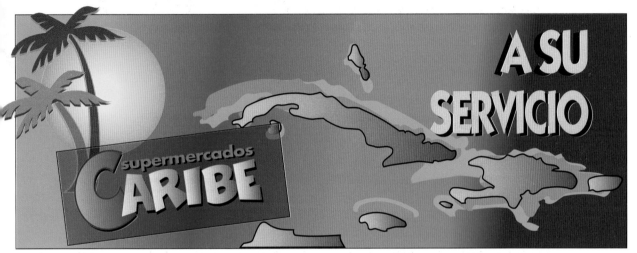

a) **Una con flechas:**

A. Todo está dicho; pero las cosas, cada vez que son sinceras, son nuevas.

1. Proverbio recogido por la tradición cubana.

B. No es el comercio lo primero que existió, sino la amistad.

2. Alejo Carpentier.

C. Los mundos nuevos deben ser vividos antes de ser explicados.

3. José Martí.

b) **Subraye las palabras que se han dicho:**

Los valores fundamentales de nuestra empresa son:

- ética	- cantidad
- épica	- servicios
- capacidad	- estropicios
- calidad	- suplicios

c) **Los servicios que ofrece Supermercados Caribe al cliente son:**

- "Adaptamos los horarios a sus necesidades."

- "Agrupamos gran variedad de productos en un mismo lugar."

Y otros tres que deberá usted completar. Los iconos pueden servirle de ayuda.

tercera etapa
EXPRESIÓN ORAL

 Como dijo...

La clase se dividirá en parejas. Cada miembro elegirá una de las dos frases que se presentan más abajo. Individualmente, prepararán (durante cinco minutos) una pequeña exposición donde incluir la frase en forma de argumento de autoridad.

Después irán saliendo las parejas de una en una para exponer delante de la clase (dos minutos de tiempo). El resto de los alumnos votará quién de los dos ha sido más convincente.

Pareja A

1 El amor es el deseo infinito del beso eterno.
(Nieves Xenet, poetisa cubana.)

2 El amor es una ocupación como otra cualquiera.
(Jacinto Benavente, escritor español.)

Pareja B

1 Si sabes hospedar a la desgracia, sabrás hospedar a la felicidad.
(Luis L. Franco, poeta argentino.)

2 El día en que la desgracia haya aprendido el camino de tu casa, múdate.
(Juan M. Palacio, poeta español.)

Pareja C

1 Cada uno es hijo de sus obras.
(Cervantes, escritor español.)

2 Cada uno, desde que nace, tiene escrita su suerte en este mundo.
(Petrarca, poeta italiano.)

Pareja D

1 La única libertad es la sabiduría.
(Séneca, escritor latino.)

2 Yo, que tengo más conciencia, tengo menos libertad.
(Calderón de la Barca, escritor español.)

Pareja E

1 La virtud consiste en no tener vicios.
(Jacinto Benavente.)

2 No tener vicios no añade nada a la virtud.
(Manuel Machado, poeta español.)

b) Como dije...

Ahora todos los alumnos de la clase se van a convertir durante unos minutos en personalidades importantes. Intentaremos crear opiniones que hagan historia. De uno en uno responderán oralmente a la siguiente pregunta:

¿Qué opina usted de que una persona monte su propio negocio?

cuarta etapa
EXPRESIÓN ESCRITA

a) Transforme las siguientes frases en estilo directo, tal y como cree que pudieron decirlas sus autores:

- Rubén Darío dejó escrito que hiciéramos el bien, porque era bello.
- José Ortega y Gasset advirtió que algunos habían venido al mundo para enamorarse de una sola persona y que, por lo tanto, no era probable que se encontraran con ella.
- Jorge Luis Borges reconoció que había cometido el peor de los pecados que un hombre podía cometer: no había sido feliz.
- El poeta mexicano Amado Nervo dijo que la fortuna era como la policía: siempre llegaba tarde.
- El escritor argentino José Narosky afirmó que cuando les decía a sus hijos que él también había sido niño, no lo creían.
- El poeta latino Marcial nos aconsejó que si éramos sabios, nos riéramos.
- Santiago Rusiñol aseguró que todos decíamos tonterías, pero que los filósofos las decían en serio.
- El escritor mexicano Jaime Torres Bodet definió la música como una forma de soñar.
- El escritor español Noel Clarasó dijo que a todos nos gustaba el trabajo, pero cuando ya estaba hecho.

b) ¿Qué es mejor?

¿Es mejor montar su propio negocio o trabajar como asalariado?

Escriba una argumentación dando su opinión. Piense en las ventajas e inconvenientes de una u otra opción. No olvide utilizar algún argumento de autoridad.

> **SUGERENCIA**
>
> Recupere para su redacción alguna frase de las inventadas en el ejercicio oral titulado "Como dije...".

c) Transforme las frases siguientes en estilo indirecto. Utilice los conectores adecuados para citar a alguien:

1 Sabed que cuando uno es amigo de sí mismo, lo es también de todo el mundo. SÉNECA

2 El placer no comunicado no es placer. F. DE ROJAS

3 Un escritor no escoge sus temas, son los temas los que le escogen. M. VARGAS LLOSA

4 El arte de vencer se aprende en las derrotas. S. BOLÍVAR

5 Hay muchas cosas en la vida más importantes que el dinero. ¡Pero cuestan tanto! G. MARX

6 Sólo los que saben poco quieren mostrar en todas partes lo que saben. B. FEIJÓO

7 Los que tienen mil caprichos no tienen un solo gusto. Madame De NECKER

8 Cuando hay libertad, todo lo demás sobra. J. DE SANMARTÍN

12 El español siempre sabe todo. Y si de algo no sabe nada, dice: "De esto hablaremos más adelante". J. L. ARANGUREN

9 Todas las guerras son guerras civiles, porque todos los hombres son hermanos. Madame GUIBERT

10 El amor es una comedia en un acto: el sexual. E. J. PONCELA

11 ¿Qué es lo que no se cree, cuando se tienen verdaderas ganas de creer? Madame De STAËL

EJEMPLO

1 *Séneca nos hizo saber que cuando uno es amigo de sí mismo lo es también de todo el mundo.*

2

3

4

5

6

7

8

9

10

11

12

meta

monte su empresa

Hay un famoso principio que dice: "No preguntes a tu país qué puede hacer por ti, sino pregúntate tú qué puedes hacer por tu país". Por eso, vamos a tratar de ser solidarios y realicemos de manera ficticia una tarea social.

Práctica oral en grupo globalizadora del objetivo de la unidad: justificar con argumentos de autoridad.

Objetivo

Crear una empresa o un servicio que no existe y demostrar a la clase el interés que puede tener para la sociedad.

Desarrollo del ejercicio

1. Los alumnos se reunirán por parejas para buscar la idea de la empresa o servicio que no existe y que podría ser viable y rentable. (20 minutos)

Ejemplo de empresas o servicios

Fabricación de máquinas programadoras de sueños, construcción y venta de viviendas bajo el agua, servicio de lectura de libros a domicilio...

Aspectos que hay que tener en cuenta

a) Se deben utilizar argumentos de autoridad (reales o ficticios), bien para justificar la creación de dicha empresa o servicio, bien para inventar un eslogan publicitario.

b) Se deben examinar todos los aspectos relativos a la creación de esta empresa: inversiones, estudio de mercado, problemas administrativos, ventajas de su creación y riesgos posibles, rentabilidad...

2. A continuación presentarán a la clase la empresa, exponiendo todos los aspectos anteriores. (3 minutos)

3. Después de cada exposición, el resto de los compañeros realizará las preguntas y objeciones pertinentes para tratar de comprender el funcionamiento de la empresa y su viabilidad. (1 minuto)

4. Al final se votará para saber cuál de todas las empresas o servicios presentados es el mejor ideado. (2 minutos)

LA MENTE

en boca de todos

Frases hechas y expresiones figuradas

los números

a) Buscar tres pies al gato.
b) Cada dos por tres.
c) Cantarle a alguien las cuarenta.
d) Como dos y dos son cuatro.
e) Decir/proclamar a los cuatro vientos.
f) Mantenerse alguien en sus trece.
g) Meterse en camisa de once varas.
h) Montar el número.
i) Ni a la de tres.
j) No dar una.
k) No ver tres en un burro.
l) Ser un cero a la izquierda.

 A Relacione las explicaciones siguientes con algunas de las expresiones anteriores.

1. No tener ninguna influencia o no ser tenido en consideración en algún asunto o lugar.
2. No haber manera de conseguir algo.
3. Ponderar la evidencia de alguna verdad.
4. Ocurrir algo con mucha frecuencia.
5. Inmiscuirse alguien en lo que no le incumbe o no debe importarle.
6. Estar siempre desacertado.
7. No ver casi nada.
8. Reñir justamente a una persona.
9. Anunciar algo en muchos sitios para que se entere todo el mundo.

PRAGMÁTICA DE LA COMUNICACIÓN

UNA IMAGEN VALE +

El autocontacto es una reacción a algo que nos molesta, que nos parece difícil, insoportable. El autocontacto afecta a todas las partes del cuerpo.

Incluso a veces prolongamos nuestro cuerpo con objetos que tocamos o manoseamos.

B Elija la opción que mejor corresponda con la expresión marcada en azul.

Cuando le dije que no quería volver a verlo, **me montó el número** delante de todos mis amigos, lo cual no es de extrañar.

a) me armó un escándalo
b) intentó justificarse
c) me pidió disculpas

La cosa no tiene vuelta de hoja, así que **no le busques tres pies al gato**; el examen te salió mal porque no lo preparaste.

a) no busques compasión
b) no busques complicaciones donde no las hay
c) no le hagas caso

No sé si mi mujer dará marcha atrás esta vez. Lo que te puedo decir es que, en ocasiones similares, siempre **se ha mantenido en sus trece.**

a) ha preferido el diálogo a la discusión
b) se ha revelado como una persona inteligente.
c) ha querido mantener su opinión a toda costa.

C dibujando EXPRESIONES

$$+\frac{\begin{array}{r}2\\2\end{array}}{04}$$

¿Qué expresión está representada con este dibujo?

os gestos de autocontacto

3. Ponerse, quitarse las gafas.
4. Fumar cigarrillos.
5. Tocar el bolígrafo, chuparlo, mordisquearlo, etc.

Existen muchos gestos de autocontacto:
1. Acariciarse las piernas, la cara, etc.
2. Poner una mano sobre la barbilla, las sienes, la mejilla, etc.

¿Cuál cree Vd. que es la función principal de los gestos de autocontacto?

a) Tranquilizarnos.
b) Darnos tiempo para pensar.
c) Distraer a los demás.

CON CIERTO SENTIDO *

Objetivo

Justificar con el sentido común: refranes y tópicos.

*Si leemos la frase con dos palabras, CONCIERTO SENTIDO, nos referimos a una composición musical para diversos instrumentos realizada o escuchada con sentimiento. Si la leemos con tres, CON CIERTO SENTIDO significa "con una determinada finalidad o función".

La música amansa a las fieras

VIÑETA Nº17, págs. 184-185

La música siempre ha aparecido en la historia de los seres humanos como ....: es el remedio más eficaz para calmar, alegrar y vivificar el corazón de las personas. Ya en la .... se nos decía que Orfeo, hijo de Apolo, encantaba[1] con su voz y con su música a las bestias salvajes y a los árboles. O, incluso, gracias a su lira[2] logró .... a los dioses del Infierno y rescatar a su esposa Eurídice. Porque ya se sabe que música y flores, galas de amores.

Martín Lutero afirmaba que "la música es un don sublime que Dios nos ha regalado". De hecho, la música .... permite la concentración, la oración, el contacto con Dios. Y hoy en día en casi todos los lugares públicos donde se quiera crear un clima de tranquilidad y de relajación se oye una música .... y ....

La música puede incluso servir de gran .... para curar enfermedades, puesto que tonifica, crea ...., da fuerzas y .... el ánimo; ya sabemos que, para el ser humano, la salud es .... y cualquier método que sirva para conservarla, se explota al máximo.

Y, por supuesto, la música se encuentra siempre presente en toda .... No puede haber festejo o celebración sin música, ya que ésta .... la tristeza y el aburrimiento, convirtiéndolos en alegría y ....

Sin embargo, la música puede igualmente irritarnos, sobre todo si tenemos que soportarla sin .... Y a veces quisiéramos decirle a alguien: "Vete con la música a otra parte". Puesto que también es capaz de desatar las pasiones y agudizar las energías destructoras. En la guerra, por ejemplo, las marchas militares[3] enardecen al .... Cuanto más intenso es el sonido del tambor o la ...., más ardoroso es su espíritu.

Ahí tenemos, por otro lado, músicas .... que excitan los ánimos y encienden pasiones. En algunos conciertos de gran exaltación se produce a veces un descontrol emocional. O las películas, que son cada vez más ...., se acompañan con músicas y sonidos que quieren crear el pánico y el pavor entre los ....

En definitiva, el gran poder de la música está en ser capaz de mover nuestros .... en uno u otro sentido: puede .... un clima de tranquilidad y de sosiego, de relajación y de bienestar; pero también puede .... energías, irritar, desatar las pasiones y llevar a la violencia.

Podríamos decir que "la música va ....", pues dirige las almas de los hombres. Y como dijo Beethoven, "El que comprenda la música quedará libre de todas las .... que los demás hombres arrastran consigo".

---

[1] **encantar**: aquí, en sentido figurado, seducir y aplacar.

[2] **lira**: aquí, antiguo instrumento de cuerda.

[3] **marcha militar**: pieza musical que lleva el ritmo del paso y se toca en desfiles militares.

1 Mientras escucha la grabación, intente rellenar los espacios en blanco del texto
La música amansa a las fieras.

2 La música puede provocar tranquilidad y bienestar, pero también exaltación y pasión.
Señale los ejemplos que da el texto de uno y otro caso.

3 ¿Qué argumentos de autoridad aparecen?

uso de la lengua

el lenguaje coloquial

El lenguaje coloquial es muy expresivo y espontáneo; por eso, cuando lo usamos con
intención argumentativa, aparecen muchos tópicos y refranes.
Tanto unos como otros se usan como argumentos basados en el "sentido común", es
decir, se dan por evidentes y no se necesita demostrarlos.

● **El refrán** es una frase que condensa una parte del saber popular. Por eso, con él
podemos asegurarnos la aprobación del que nos escucha.

EJEMPLO

Si nuestra intención es convencer del poder del dinero podemos decir:
"Ya lo dice el refrán: tanto tienes, tanto vales".

Muchos de ellos tienen rima. Esto permite retenerlos en la memoria y son muy útiles en
el lenguaje coloquial: nos evitan el esfuerzo de pensar para expresar con nuestras
propias palabras lo que queremos decir.

EJEMPLO

Poderoso caballero es Don Dinero.

● **El tópico** es una idea coloquial y demasiado repetida (sacada muchas veces de
refranes), que todo el mundo conoce y usa con mucha frecuencia.

EJEMPLO

El dinero lo puede todo.

Los tópicos se suelen aplicar a los temas de conversación más de moda del momento.

EJEMPLOS

Todo el mundo tiene un precio. / Los políticos nunca dicen la verdad.
Los andaluces siempre están de fiesta. / Los catalanes son muy ahorradores, etc.

uno Clasifique los siguientes refranes según el tema de que traten. Algunos de ellos pueden ir en más de una lista.

Quien bien te quiere te hará llorar.

Tanto tienes, tanto vales.

Lo bueno, si breve, dos veces bueno.

Quien tiene boca se equivoca.

En abril, aguas mil.

Afortunado en el juego, desgraciado en amores.

De lo que se come, se cría.

Quien calla, otorga.

De noche todos los gatos son pardos.

Más vale pájaro en mano que ciento volando.

En boca cerrada no entran moscas.

Más vale tarde que nunca.

Cría cuervos y te sacarán los ojos.

Más vale estar solo que mal acompañado.

AMOR

Contigo, pan y cebolla.
Entre dos que bien se quieren, con uno que coma basta.
Música y flores, galas de amores.

DINERO Y RIQUEZA

Las cuentas claras y el chocolate espeso.
Dinero llama dinero.
No es oro todo lo que reluce.
Poderoso caballero es Don Dinero.

ANIMALES

A caballo regalado, no le mires el diente.
A otro perro con ese hueso.
Cada oveja con su pareja.
La música amansa a las fieras.

COMIDA Y BEBIDA

A falta de pan, buenas son tortas.
Agua que no has de beber, déjala correr.
Al pan, pan, y al vino, vino.
Lo que no mata engorda.

SABER Y CONOCIMIENTO

A nuevos tiempos, nuevas costumbres.
Cada loco con su tema.
La cara es el espejo del alma.
Sobre gustos no hay nada escrito.
Quien mucho abarca poco aprieta.

CALENDARIO

Año de nieves, año de bienes.
Año nuevo, vida nueva.
Hasta el cuarenta de mayo no te quites el sayo.

dos Señale los refranes que riman.

COMPRENSIÓN ESCRITA

La pasión por el riesgo

Hay que ver a qué cosas tan raras se dedican a veces los humanos. El otro día vi un reportaje en televisión sobre una chica que vivía para escalar paredes de piedra vertiginosas, sin cuerdas ni clavos, sólo con las manos y los pies casi desnudos, como una mosca. Es la pasión por el riesgo.

La gente se enfrenta al peligro simplemente por el placer de arriesgarse. No creo que sea por otra cosa, pues a nadie le gusta sufrir. Así, resulta sorprendente la cantidad de cosas absurdas que pueden hacer los seres humanos hoy en día: bucear en cuevas submarinas, hacer espeleología en los glaciares, cruzarse el Polo a pie y en solitario, atravesarse el Atlántico nadando... en fin, ya se sabe, cada loco con su tema. Y todo para nada, por supuesto; para tener una fuerte subida de adrenalina, en el mejor de los casos, y en el peor, para perder la vida. Sin embargo, pienso que hacer cosas que no sirven para nada es algo fundamental en el género humano, define nuestra existencia. Necesitamos de lo innecesario para cumplirnos como mujeres y como hombres.

Muchos piensan que en otros tiempos, cuando el mundo era prácticamente desconocido, las arriesgadas aventuras de los exploradores tenían sentido, pues las vivían con un espíritu científico y con el ansia de descifrar los grandes misterios. Lo único que esto demuestra es que el hombre siempre ha necesitado sentir la pasión por el riesgo; y si ahora el pulso con el peligro es más exagerado es precisamente porque vivimos en una sociedad también más exagerada. Es lógico: a nuevos tiempos, nuevas costumbres.

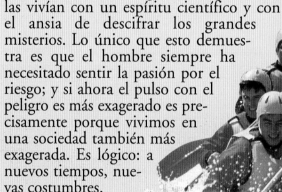

Texto adaptado de Rosa Montero, *EL PAÍS.*

a) ¿Qué dos refranes se utilizan en el texto? ¿Qué significado tienen?

b) ¿Con qué expresiones o conectores se introducen los refranes utilizados?

c) En el texto se dice: "A nadie le gusta sufrir". ¿Cree que es un argumento basado en el sentido común? ¿Por qué?

d) En el siguiente cuadro aparecen algunos deportes clasificados según su grado de riesgo:

RIESGO MUY ALTO	RIESGO ALTO
Espeleobuceo: es la variante más peligrosa de la espeleología, en la que se recorren sifones de agua subterránea, combinando la espeleología y el submarinismo.	**Caída libre:** salto desde un avión con apertura manual del paracaídas. **Escalada glaciar:** escalar paredes de hielo y roca.
RIESGO MEDIO	RIESGO BAJO
Big jump: salto al vacío desde un helicóptero o un globo con unas gomas atadas a los pies. **Ciclismo extremo:** descenso por vertientes muy rocosas sobre una bicicleta.	**Puenting:** salto con cuerdas de escalada desde un puente. Durante la caída, el saltador hace el movimiento del péndulo.

VIÑETA Nº18, pág. 185

¿Dónde clasificaría usted los siguientes?

Rapel: descenso a través de cuerdas de escalada en cascadas.
Parapente: algunas modalidades son realmente arriesgadas, como tirarse desde determinadas cumbres o realizar ciertas figuras acrobáticas.
Salto base: salto desde una altura al vacío y apertura manual del paracaídas.
Submarinismo entre tiburones: buceo en aguas llenas de tiburones.

Piragüismo extremo: descenso en este tipo de embarcación por aguas bravas, realizando saltos de cascadas de más de 15 metros.
Solo integral: escalada sin ningún elemento de seguridad (ni cuerdas ni anclajes), sólo con las manos y los pies.

 **segunda etapa** COMPRENSIÓN ORAL Acento argentino

El tango nunca muere.

a) Escuche una sola vez la siguiente grabación y responda:

● ¿Cuál es el origen de los siguientes bailes? Relacione con flechas.

flamenco   cubano
candombe   andaluz
habanera   gauchesco
milonga   afroamericano

● ¿En qué dos ciudades nació el tango? Subraye las palabras adecuadas:

Buenos Aires	Madrid	Montevideo
Asunción	Bogotá	La Habana

● ¿Qué refrán ha sido pronunciado? Marque con una cruz la respuesta correcta:

☐ La esperanza es el pan del alma.
☐ La esperanza es lo último que se pierde.
☐ La soledad es mala consejera.
☐ Más vale tarde que nunca.

b) Escuche de nuevo la grabación y responda:

● ¿Cómo se llama el más famoso de todos los tangos?
● ¿Quién fue su autor, Carlos Gardel o Gerardo Mattos?
● Responda a las preguntas que se formulan al final.

tercera etapa
EXPRESIÓN ORAL

a) Ya será menos…

Seguro que no todos los alumnos han hecho la misma clasificación de los deportes de riesgo en el ejercicio de "Comprensión escrita". Por eso, se podría elegir un deporte en el que hubiera una importante división de opiniones.
La clase se dividirá en dos grupos. Durante 5 minutos cada grupo preparará una serie de argumentos para defender por qué consideran ese deporte con un grado de riesgo u otro. Después cada grupo expondrá oralmente lo que ha pensado. Al final se votará qué grupo ha sido más convincente.

b) Los refranes contradictorios

Ahora la clase se dividirá en parejas. Cada miembro elegirá una opción entre los siguientes pares de refranes:

1. - A quien madruga, Dios le ayuda.
  - No por mucho madrugar, amanece más temprano.

2. - La soledad es mala consejera.
  - Más vale estar solo que mal acompañado.

3. - Más vale tarde que nunca.
  - No dejes para mañana lo que puedas hacer hoy.

4. - No es oro todo lo que reluce.
  - La cara es el espejo del alma.

5. - Quien presta a un amigo, compra un enemigo.
  - Haz bien y no mires a quién.

Durante 5 minutos, y de manera individual, prepararán una serie de argumentos (con ejemplos y citas si es posible). Después expondrán delante de la clase y ésta votará quién les ha convencido.

unidad

cuarta etapa
EXPRESIÓN ESCRITA

a) El siguiente texto refleja un lenguaje coloquial. Léalo y realice los ejercicios.

(Nada más entrar por la puerta, su madre empezó a observarlo todo detenidamente.)

— Este sillón no lo tenías antes.

— No. Nos lo han dado los vecinos. Ellos se han comprado uno nuevo.

— ¿Y os habéis quedado con este tan viejo? —preguntó su madre, extrañada.

— ¡Claro! Es bonito, ¿no?

— ¡Pero qué dices, nena! Es una horterada.

— Pues a mí me chifla. Además, si es un regalo, no voy a ponerle pegas -respondió Lola.

— Mira, en eso tienes razón. Y en cuestión de gustos nadie tiene por qué criticar,

* ¿verdad? -dijo su madre para zanjar la cuestión -. ¿Dónde tienes a los niños?*

— No lo sé, por ahí andarán. Me han dado la lata toda la mañana. Así que cuando

* están callados prefiero no ver lo que hacen.*

— Eso no está bien. A lo mejor están haciendo algo malo. Pero claro, si no lo ves no sufres.

— Pero si estarán viendo la tele… -contestó Lola algo cansada ya.

— Siempre viendo la tele. ¿Tú no sabes que ver tanta tele embrutece a los niños? -dijo la madre.

— Mira, mamá, no me digas también cómo debo educar a mis hijos.

● Sustituya las frases subrayadas por los refranes que signifiquen lo mismo en cada caso.

> a) Ojos que no ven, corazón que no siente.
>
> b) El que a buen árbol se arrima, buena sombra le cobija.
>
> c) Sobre gustos no hay nada escrito.
>
> d) A caballo regalado, no le mires el diente.
>
> e) Tanto tienes, tanto vales.

● Cambie las siguientes expresiones coloquiales por otras que sean más cultas:

— Pues a mí me chifla.   — No lo sé, por ahí andarán.

— ¿Dónde tienes a los niños?   — Me han dado la lata toda la mañana.

EJEMPLO

> *¡Pero qué dices, nena! Es una horterada.*
> *Creo que estás equivocada, hija. Lo considero poco elegante.*

● **¿Cree que estos dibujos reproducen el diálogo anterior? Señale las diferencias que encuentra.**

b) Arriésguese.

Invente un deporte de riesgo, redacte en qué consiste (sus características, su grado de riesgo, sus posibles sensaciones...), y trate de convencer a sus compañeros de que practicarlo es útil para algo.

Mi deporte es...

unidad

meta

inventar un objeto que no exista y que no sirva para nada

Práctica oral en grupo globalizadora del objetivo de la unidad:

justificar con el sentido común: refranes y tópicos.

En este ejercicio trataremos de crear objetos que no existan. Cosas que no parezcan imprescindibles para vivir, pero que podrían gustar a la gente y ser adquiridas.

Desarrollo del ejercicio

1. Búsqueda de la idea y fabricación del prototipo. (10 minutos)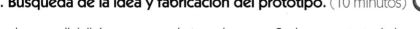

La clase se dividirá en grupos de tres alumnos. Cada grupo tratará de crear ese objeto que no existe y que pudiera entusiasmar al público.
Por ejemplo: el reloj de las vacaciones, sin agujas, pero que funcionara como un cuco, es decir, de vez en cuando saldría de él algo relacionado con el ocio (un helado, una sombrilla, sonido de olas...).

2. Explicaciones y argumentario. (15 minutos)

Después el grupo preparará la presentación del hallazgo, incluyendo:
- La explicación de su funcionamiento.
- Los detalles técnicos, precio, modo de empleo, condiciones de venta...
- El argumentario: una serie de argumentos, con refranes y tópicos, que demuestren su interés para el consumidor. Para ello, se puede usar un lenguaje publicitario y coloquial que pretenda convencer al público de la adquisición.

3. Presentación a la clase.
(3 minutos cada grupo)

Los tres alumnos se repartirán la presentación de manera que intervengan a partes iguales.

4. Críticas del grupo. (1 minuto para cada grupo)

El resto de los alumnos hará preguntas para pedir precisiones y explicaciones complementarias, o para rebatir los argumentos presentados.

5. Voto del mejor objeto. (2 minutos)

Cuando todos los grupos hayan presentado sus objetos se procederá a una votación secreta para elegir el objeto que el grupo considera el mejor.

LA MENTE

en boca de todos
Frases hechas y expresiones figuradas

---

simpatía

a) **Caer bien a alguien.**
b) **Estar a partir un piñón.**
c) **Ser el ojo (ojito) derecho de alguien.**
d) **Ser la alegría de la huerta.**
e) **Tener salero (alguien).**

antipatía

f) **Caer gordo a alguien.**
g) **Estar a matar.**
h) **No poder ver ni en pintura.**
i) **No ser santo de la devoción de alguien.**
j) **Poner como un trapo.**
k) **Poner de vuelta y media.**
l) **Poner verde.**
m) **Tener a alguien entre ceja y ceja.**
n) **Tener rabia / tirria a alguien.**

A ¿Con qué otra expresión de las de simpatía calificamos a la persona que siempre muestra alegría y buen humor? Invente una frase con ella.

B dibujando **EXPRESIONES**

¿Qué expresión está representada con este dibujo?

PRAGMÁTICA DE LA COMUNICACIÓN

UNA IMAGEN VALE +

Estos gestos subrayan el ritmo del discurso.
Acompañan a las palabras
y refuerzan el mensaje transmitido
con el apoyo de las manos.

b. El puño cerrado: expresa eficacia, contundencia.

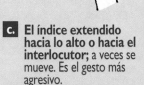

c. El índice extendido hacia lo alto o hacia el interlocutor; a veces se mueve. Es el gesto más agresivo.

a. La mano extendida: deseo de implicar a todos.

EN FORMA

SIMPATÍA

a. Caer bien a alguien.
b. Estar a partir un piñón.
c. Ser el ojito derecho de alguien.
d. Tener salero.

C Relacione las frases de la izquierda con su significado. Y luego con las frases que signifiquen lo contrario.

SIGNIFICADO

1. Llevarse muy bien con alguien.
2. Resultar simpático a alguien.
3. Ser muy agradable y simpático.
4. Ser la persona preferida de otra.

ANTIPATÍA

I Estar a matar.
II Caer gordo a alguien.
III No ser santo de la devoción de alguien.
IV Tener mala sombra.

D Complete el siguiente cuadro con alguna de las expresiones de antipatía.

Significado: tener manía o despreciar a alguien.	**Significado:** criticar a alguien.
• No poder ver ni en pintura.	• Poner de vuelta y media.
•	•
•	•

os gestos persuasivos

La pinza pulgar-índice: deseo de clarificar un punto.

e. La mano envoltura: deseo de convencer con firmeza al interlocutor.

f. La mano garra: deseo de dominación y de manipulación.

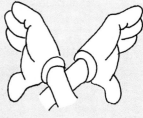

g. Las manos tijeras: rechazo de la idea propuesta.

¿Con cuál de estos gestos expresaría Vd. la ruptura de comunicación?

PREPARACIÓN

MODELO 3

DIPLOMA BÁSICO DE ESPAÑOL COMO LENGUA EXTRANJERA

PRUEBA 1: COMPRENSIÓN DE LECTURA

A continuación encontrará un texto con una serie de preguntas. Marque la opción correcta.

Un campesino "privado" en un país socialista

Robaina no es sólo el nombre de una nueva marca de puros, es sobre todo el apellido del mejor cosechero de tabaco de la región de Vuelta Abajo, donde se cultiva el mejor tabaco del mundo.

A sus 78 años, Alejandro Robaina ha batido todos los récords, y hasta le ha enviado puros de su cosecha al Papa a través de su amigo José Siro Bacallao, obispo de Pinar del Río.

«Mi abuelo fue Jerónimo Pereda, se estableció en esta zona de Cuchillos de Barbacoa, cerca del pueblo de San Luis, y compró esta vega», recuerda Alejandro.

Casi desde aquella época, la finca El Pinar, con sus 80 hectáreas de tierra gris y arenosa ideal para el cultivo del tabaco, fue la más productiva de la región. El padre de Alejandro, Maruto Robaina, fue considerado el mejor veguero del país y, tras su muerte en 1950, él siguió la tradición.

Cuando el socialismo desembarcó en la isla, Robaina no cooperativizó sus tierras y se mantuvo como campesino privado, manteniendo su método tradicional para atender sus 250.000 plantas.

El rendimiento de sus vegas supera hoy hasta cuatro veces al de las grandes empresas de tabaco del Estado. «Ellos tienen un sistema diferente. Se desperdicia mucho», afirma.

Por su alto nivel de productividad, hace algún tiempo el presidente cubano, Fidel Castro, le regaló un coche Lada de color azul, que tiene en el garaje de su casa, aunque afirma que prefiere un Ford 1936 que está, estropeado, en el patio.

Ahora la empresa exportadora cubana, Habanos, le ha querido rendir homenaje poniendo su nombre a la tercera marca de puros que se crea después de la revolución.

Cuando vio su foto estampada en una de las primeras cajas, dijo: «Pero yo no soy tan feo, ¿verdad?».

Adaptado de *El País*

PREGUNTAS

1 Fue Maruto Robaina quien compró la vega.
a) verdadero   b) falso

2 Robaina creó su propia marca de puros.
a) verdadero   b) falso

3 Alejandro Robaina tiene en su garaje un Ford 1936 de color azul.
a) verdadero   b) falso

4 La finca El Pinar es la más productiva de la región:
a) desde hace 80 años.
b) desde 1950.
c) desde siempre.

5 Alejandro Robaina ha mandado puros:
a) al obispo de Pinar del Río.
b) a Fidel Castro.
c) al Papa.

PRUEBA 2: EXPRESIÓN ESCRITA

PARTE 1: CARTA

Redacte una carta de 150-200 palabras (unas 15-20 líneas). Comience y termine la carta como si ésta fuera real.

Usted va a vivir en España durante dos meses con varios amigos y amigas, y desea alquilar un piso, para lo cual necesita la ayuda de un amigo español. Escríbale una carta en la que deberá:
- explicarle lo que desea;
- solicitar su ayuda;
- informarle de las características del piso que busca;
- indicarle el precio que desea pagar.

PARTE 2: REDACCIÓN

Escriba una redacción de 150-200 palabras (unas 15-20 líneas).

En nuestra vida siempre hay un acontecimiento especialmente importante por diversos motivos. Cuéntenos cómo fue el suyo. Elabore un escrito en el que exprese:
- en qué año fue y qué ocurrió;
- con qué sentimientos recuerda lo sucedido;
- por qué fue tan importante para usted;
- qué consecuencias tuvo en su vida.

PRUEBA 3: COMPRENSIÓN AUDITIVA

Escuche dos veces una parte del discurso de Gabriel García Márquez en el Primer Congreso Internacional de la Lengua Española en Zacatecas, en abril de 1997. Después dispondrá de tiempo para seleccionar la opción correcta entre las siguientes.

PREGUNTAS

1 A sus doce años de edad, Gabriel García Márquez fue atropellado por una bicicleta.
a) verdadero   b) falso

2 El cura utilizó el poder de la palabra de Cristo para salvar al narrador.
a) verdadero   b) falso

3 En el texto se dice que:
a) los mayas hablaban con Cristo.
b) los mayas eran conscientes del poder de las palabras.
c) los mayas hablaban con sus dioses.

4 Según Gabriel García Márquez:
a) las imágenes pueden perfectamente sustituir a las palabras.
b) nunca las palabras han tenido un poder como el de hoy en día.
c) el silencio también tiene su importancia.

PRUEBA 4: GRAMÁTICA Y VOCABULARIO

SECCIÓN 1: TEXTO INCOMPLETO

Complete el siguiente texto eligiendo para cada uno de los huecos una de las tres opciones que se le ofrecen.

Salud de hierro

Comer ...1... todo con moderación es, según los expertos en nutrición, la ...2... forma de prevenir la carencia de minerales. Aunque, en circunstancias normales de alimentación, los españoles no tenemos ....3.... preocuparnos: con .....4.... dieta cubrimos sobradamente las necesidades diarias de la mayoría de estos elementos. Así, por término medio, ...5.... superamos en un 37 % en el caso del hierro, en un 11 % en el magnesio y en un 7 % en el yodo. Sólo presentamos un déficit importante de zinc -un 33 % menos ...6... necesario-, ya que, en los últimos años, hemos incluido más fibra en nuestra alimentación, lo que dificulta su absorción.
Ya en la Antigüedad se apreciaba ...7... valor de algunos minerales: en el año 3000 a. de C., por ejemplo, los egipcios ...8... agua rica en hierro como revitalizante. Sin embargo, no fue hasta ...9... unos 30 años, cuando ...10... a estudiar sus características y beneficios.

Adaptado de *QUO*

1
a) por
b) de
c) en

2
a) mayor
b) más buena
c) mejor

3
a) porque
b) por que
c) por qué

4
a) nosotros
b) nos
c) nuestra

5
a) los
b) les
c) las

6
a) por lo
b) del
c) en lo

7
a) el
b) la
c) una

8
a) utilizaron
b) utilizan
c) utilizaban

9
a) hay
b) ha
c) hace

10
a) comenzó
b) se comenzaron
c) comenzaban

SECCIÓN 2: SELECCIÓN MÚLTIPLE

EJERCICIO 1

En cada una de las frases siguientes se ha marcado con letra **negrita y cursiva** un fragmento. Elija entre las tres opciones de respuesta, aquélla que tenga un significado equivalente al del fragmento marcado.

1 No he podido hablar con María Teresa porque el teléfono **está comunicando**.
a) no funciona
b) está ocupado
c) no da señal

2 Cuando estaba en casa de mi madre, iba **de cuando en cuando** a la playa.
a) algunas veces
b) a menudo
c) casi siempre

3 - No sé lo que le pasa.
- Hombre, sí, es que **echa c menos a** sus compañeros c clase.
a) se acuerda mucho de
b) le gustan mucho
c) ha discutido con

4 - ¿Qué te pareció la película?
- Pues bastante **aburrida**.
a) complicada
b) divertida
c) fastidiosa

5 - ¿Fuiste a ver la última película de Almódovar?
- No, porque Marcos y Cristina **me dieron un plantón**.
a) no vinieron
b) llegaron tarde
c) vinieron muy tarde

EJERCICIO 2

Complete las frases siguientes con el término adecuado de los dos o cuatro que se le ofrecen.

1 Mujer, no te entiendo. Lo que me dices ... extraordinario.
a) es   b) está

2 ¿Dónde ... la boda?
a) es   b) está

3 - Me dijeron que viniste a verle.
- Sí, es que ... hablar con él.
a) quería   b) quise

4 - Dime, ¿has visto a ... paseando por aquí?
- No, no he visto a nadie.
a) alguno   b) alguien

5 - ¿Me compras un helado?
- No. ... cosa, menos un helado.
a) Cualquier   b) Cualquiera

6 - ¿Sabes a qué hora empiez la película?
- No tengo ... idea.
a) alguna   c) una
b) ninguna   d) ni

7 - ¿Qué hacemos con estos cartones?
- Vamos a bajarlos a la basura ... tú y yo.
a) por   c) entre
b) para   d) con

8 - ¿A qué hora sale el tren para Valladolid?
- El tren ... Valladolid sale a las dos en punto.
a) por   c) hacia
b) de   d) hasta

9 - ¿Dónde hay una cabina tele fónica?
- Hay una aquí, ... al hotel.
a) delante   c) frente
b) contra   d) en frente

10 - ¿Te gusta la pintura abstracta?
- No, no ... comprendo.
a) lo   c) la
b) le   d) me

11 - Está muy enfadado con él.
- Sí, como no ... a verle hoy, se separan.
a) viene   c) vino
b) vendrá   d) venga

12 - ¿Qué tal os lo pasasteis en e viaje de estudios?
- Estupendo. Me hubiera gus tado que ... con nosotros.
a) hayas venido   c) habría venido
b) vinieras   d) has venido

13 - He llamado a su casa y no contestan.
- Me pregunto dónde ..... .
a) estén   c) estuvieron
b) estarán   d) hayan estado

14 - ¿Cuándo hacemos esa fiesta?
- ... conseguimos dinero, la haremos esta semana.
a) Como   c) Así que
b) Si   d) Cuando

15 - ¿Vas a ir a ver la exposició de pintura?
- Si ... tiempo, me pasaré u rato.
a) tenga   c) tenía
b) tuviera   d) tengo

PRUEBA 5: EXPRESIÓN ORAL

SECCIÓN 1: PRESENTACIÓN DE UNA LÁMINA

Describa lo que sucede en las tres primeras viñetas, y en la cuarta póngase en el lugar de uno de los personajes y diga lo que él o ella diría en esa situación.

SECCIÓN 2: EXPOSICIÓN DE UN TEMA

Escoja un tema y haga una exposición durante dos o tres minutos. Los puntos que se le proponen son sugerencias para desarrollar libremente el tema.

TEMA 1: SUPERPOBLACIÓN EN LA TIERRA

- ¿Qué razones se le ocurren como causas de la desigualdad de población en la Tierra?
- ¿Qué soluciones aportaría para tratar de remediar este problema?
- ¿Cree usted que deben explotarse las pocas zonas vírgenes que quedan en la Tierra para contribuir al mejor reparto de la población y de la riqueza?

TEMA 2: TRABAJO BIEN REMUNERADO PERO POCO SATISFACTORIO

- ¿Qué es más importante: la remuneración o la satisfacción?
- No se trabaja bien si no se está satisfecho profesionalmente.
- Tampoco se trabaja bien si el sueldo es bajo.
- El trabajo voluntario.

TEMA 3: LOS AVANCES TECNOLÓGICOS

- ¿Han mejorado o han perjudicado nuestra calidad de vida?
- ¿Qué influencia tienen en el índice de desempleo?
- ¿Está nuestra sociedad preparada para asumirlos?

TODO POR EL CAMBIO

Objetivo

Expresar la alternativa y la hipótesis.

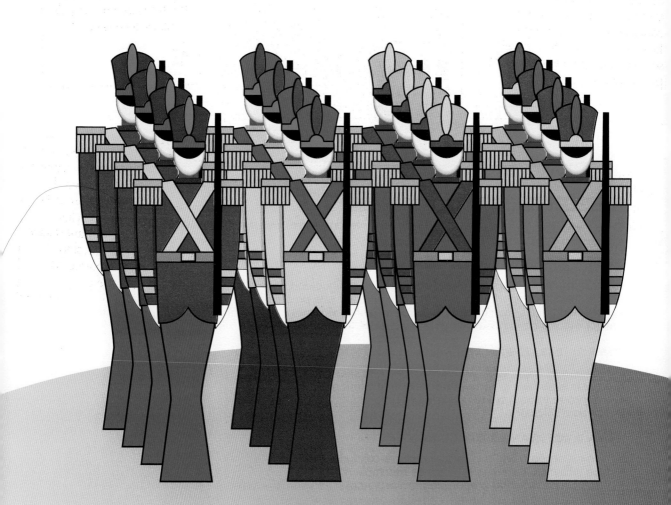

¿Ejército profesional?

VIÑETA Nº19, pág. 185

1 Si queremos disponer de soldados capacitados para manejar el material moderno –de alta tecnología–, y queremos una disponibilidad real de ellos en cualquier momento para enviarlos a cualquier punto de conflicto[1], necesitamos un ejército profesional.

2 Ahora bien, si consideramos prioritario que el servicio militar entremezcle a jóvenes de distintas clases sociales y regiones, contribuyendo así a aumentar la tolerancia y el respeto social, en ese caso el ejército no profesional tiene sentido.

3 Claro, por un lado es verdad que todos somos iguales ante el servicio militar. Pero por el otro, cabe constatar cómo se está extendiendo la objeción de conciencia[2] y la insumisión[3]. Esto es un fenómeno cultural y social contemporáneo que no se puede ignorar.

4 Pensemos que para miles de jóvenes, el servicio militar es una manera de no estar en el paro[4].

5 De todos modos, ya no hacen falta tantos soldados y tampoco sería necesario que todos los jóvenes hicieran el servicio militar. Esto contribuiría a racionalizar mejor el gasto de defensa.

6 Pero no olvidemos que el mundo ha cambiado, y que si quisiéramos mandar algún contingente[5] de jóvenes al extranjero sería muy difícil, porque las familias protestarían. Con los profesionales es diferente. Durante siglos los ejércitos siempre han sido profesionales y eso no planteaba ningún problema.

7 En resumen, que el ejército profesional parece ser una realidad que se impone, ¿no es así?

Léxico

[1] **punto de conflicto**: aquí, lugar en guerra.

[2] **objeción de conciencia**: aquí, negativa de alguien a hacer el servicio militar, por ir en contra de sus principios o creencias. Se sustituye por un tipo de prestación social.

[3] **insumisión**: acto de desobediencia. Aquí, negativa a hacer el servicio militar o prestaciones sustitutorias.

[4] **paro**: aquí, situación de las personas que están sin empleo.

[5] **contingente**: aquí, ejército, fuerzas militares.

1 En la página anterior hay un breve coloquio sobre el tema El ejército profesional. En él participan 3 personas. Indique qué defiende cada una.

2 Sólo uno de los interlocutores ha sacado una pequeña conclusión. ¿Quién? Escriba usted la conclusión que sacarían los demás.

3 ¿Y usted qué piensa? Añada 2 argumentos más a la opción que más le guste.

uso de la lengua

la hipótesis

Un argumento expresado mediante hipótesis sirve para dar por verdadero (o muy probable) algo que puede ocurrir.

EJEMPLO

SI quisiéramos mandar algún contingente de jóvenes al extranjero, las familias protestarían.

CONECTORES

SI / SIEMPRE QUE / CON TAL DE QUE / EN CASO DE QUE / A MENOS QUE / A NO SER QUE / COMO NO SEA QUE / ...

- Otras formas de expresar la hipótesis:

- **COMO + subjuntivo:**

EJEMPLO

COMO mandemos contingentes de jóvenes al extranjero, las familias protestarán.

- **Con gerundio:**

EJEMPLO

Mandando contingentes de jóvenes al extranjero, se provocan las protestas de las familias.

- En las hipótesis puede usarse el verbo en:

- **Indicativo** (si es posible que se cumplan):

SI mandamos contingentes de jóvenes al extranjero, las familias protestarán.

- **Subjuntivo** (si no es tan posible que se cumplan):

SI mandáramos contingentes de jóvenes al extranjero, las familias protestarían.

uno   Clasifique los siguientes conectores donde corresponda:

COMO NO SEA QUE / SI (YO) FUERA TÚ / A MENOS QUE / (O) BIEN... (O) BIEN /
O MEJOR / SEA... SEA / UNAS VECES... OTRAS VECES /
SI ESTUVIERA EN TU LUGAR / AÚN MÁS / EN CASO DE QUE /
Y SI NO BASTA CON ELLO / AHORA... AHORA

La alternativa

(EL, LO) UNO... O / U (EL, LO) OTRO
NI... NI
O... O
POR UN LADO... POR OTRO LADO
POR UNA PARTE... POR OTRA PARTE
YA (SEA)... YA (SEA)

La hipótesis

A CONDICIÓN DE QUE
A NO SER QUE
CON TAL DE QUE
SI
SIEMPRE QUE

La aportación de nuevos elementos

ADEMÁS
AÚN / TODAVÍA MEJOR
EN OTRO / ÚLTIMO CASO
O TAMBIÉN

Expresar un consejo

YO EN TU LUGAR
YO QUE TÚ
YO DE TI

dos   Seguro que no están todos. Añada alguno más que recuerde.

Discurso electoral

Las próximas elecciones generales serán una buena ocasión para que los ciudadanos recuperen su protagonismo directo y relancen su voluntad de progreso y de solidaridad. El 28 de enero, al tiempo que se elige a los representantes del pueblo en las Cortes Generales, se depositará la confianza en un nuevo equipo que garantice la puesta en práctica de esa voluntad de cambio.

Por eso, en nuestro programa electoral el ciudadano encontrará proyectos para elevar los niveles tecnológicos, sea para mejorar la productividad, sea para modernizar el país. Es urgente superar la crisis y conseguir un ritmo de crecimiento económico suficiente para crear empleo. Nuestro partido se propone generar 500.000 puestos de trabajo durante los cuatro años de gestión gubernamental.

Además, nuestro programa incluye otros tantos proyectos para democratizar la educación pública y privada, extender la cultura, conseguir una justicia más eficiente, rápida y gratuita, mejorar la sanidad, facilitar el acceso a una vivienda y, en definitiva, proteger y asegurar los derechos personales.

Todas estas medidas están pensadas para resolver o para empezar a solucionar seriamente los problemas que tiene el país y que afectan a la gran mayoría de los votantes, desde una perspectiva solidaria.

Por un lado, hay que eliminar los viejos métodos, las estructuras caducas y las viejas e ineficaces técnicas, y por otro poner al servicio del hombre y de la comunidad la nueva tecnología y la ciencia para producir más rentablemente. Hoy los ciudadanos pueden optar por soltar lastres históricos porque el sistema democrático a través de las urnas posibilita el cambio.

Nuestro programa electoral asume las esperanzas y las aspiraciones de la mayoría y podremos ponerlo en práctica con serenidad y decisión siempre que tengamos el respaldo de la mayoría electoral de forma clara.

P.L.C.

ELECCIONES GENERALES

¡Cambia!

a) En el texto se han planteado dos alternativas. Complete la segunda parte de cada una.

1ª alternativa	2ª alternativa
– El ciudadano encontrará proyectos para elevar los niveles tecnológicos, **sea** para mejorar la productividad...	– **Por un lado** hay que eliminar los viejos métodos...

b) ¿Cuál es la única hipótesis que se expone en este programa electoral? Exprésela con otro conector equivalente.

¿Está expresada en indicativo o en subjuntivo? ¿Entonces es de posible cumplimiento o no muy posible?

c) Si usted fuera político, ¿pediría el voto mediante un verbo en imperativo (*vota...*)? Quizás no, porque es más educado expresar consejos:

EJEMPLO
Yo de ti votaría...

Construya cinco frases pidiendo el voto para su partido mediante conectores que sirvan para expresar consejo. Utilice argumentos del texto.

VIÑETA N°20, pág. 185

segunda etapa
COMPRENSIÓN ORAL   Acento andaluz

La risa

a) La pregunta que se formula al principio, ¿es abierta o cerrada?
Entonces, ¿qué contestaría usted a ella?

b) ¿Qué conector falta en las siguientes frases?

– Nos ayuda a liberarnos de nuestros males psíquicos; .... también se ha descubierto que la risa actúa sobre los mecanismos de defensa de nuestro cuerpo.
– .... la tristeza atrae los virus, y .... el buen humor los ahuyenta.
– Algunos médicos y psicólogos usan la risa .... como terapia capaz de curar la depresión, ... para tratar otras enfermedades físicas.
– La risa sirve, ..., para digerir mejor los alimentos, ... se oxigena mejor nuestro cuerpo.
– No sabemos si la risa alarga la vida, ... al menos nos la hace más llevadera.

c) ¿Qué consejo se formula al final?

d) Ya se sabe que es más fácil hacer llorar que hacer reír. Pero haga un esfuerzo y elija una de estas posibilidades:

- Enumere cinco cosas que le hagan reír.
- Intente hacer reír a sus compañeros contando en castellano un chiste propio de su país.

EXPRESIÓN ORAL

a) El referéndum: sí o no

La clase se dividirá en 3 grupos y cada uno elegirá uno de estos temas:

- ¿Repartiría a partes iguales entre hombre y mujer las tareas domésticas?
- ¿Abriría el acceso de la mujer al sacerdocio?
- ¿Reconocería legalmente los derechos sociales (pensión, viudedad, herencia, etc.) de las parejas no casadas, es decir, de las parejas llamadas *de hecho*?

Durante 2 minutos los alumnos de cada grupo –de manera individual– pensarán cuál sería su voto si en un referéndum les pidieran su opinión sobre su tema. Después, de uno en uno dirán cuál es su respuesta y la justificarán haciendo una hipótesis.

Al final, entre todos decidirán qué alumno de cada grupo ha hecho la hipótesis más ingeniosa.

b) Situaciones cotidianas

Muchas veces, en nuestra vida cotidiana, encontramos situaciones donde usamos una alternativa con fines persuasorios: amenazar, chantajear, sobornar...

Para este ejercicio, la clase se dividirá en grupos de 2. Cada pareja elegirá una situación de las siguientes:

- ¿Qué le dice un padre a un hijo que no aprueba nunca?
- ¿Qué le dice un jefe a su secretario que trabaja muy lento?
- ¿Qué le dice un director de un banco a un cliente que no paga las letras de un crédito?
- ¿Qué le dice un ladrón a un vendedor de un estanco?

Aunque también podrán inventarse una situación diferente y original.

Durante 5 minutos pensarán la escena y luego la expondrán ante el resto de la clase. Cada alumno representará a un personaje, y los dos tienen que decir una alternativa.

Al final, se votará qué pareja lo ha hecho mejor.

cuarta etapa
EXPRESIÓN ESCRITA

a) Indique qué conector de hipótesis **NO** es el adecuado en cada frase:

– .... no me esperes, me enfadaré. (**COMO, SI, EN CASO DE QUE**)

– .... quisieras ver ese partido, encenderías la otra televisión. (**EN CASO DE QUE, COMO, SI**)

– .... sepa hacer algo, lo admitirán en la fábrica. (**SIEMPRE QUE, CON TAL DE QUE, SI**)

– Nos quedaremos en casa .... quieras salir a dar un paseo. (**A NO SER QUE, EN CASO DE QUE, A MENOS QUE**)

– No te llevaré al circo .... te portes mal. (**SI, COMO, EN CASO DE QUE**)

b) Transforme las hipótesis siguientes en otras expresadas con COMO + subjuntivo. Cambie el tiempo o el modo de los verbos si lo cree necesario.

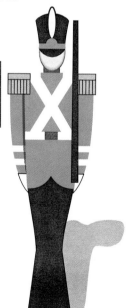

> **EJEMPLO**
>
> **SI** *queremos un ejército profesional,* necesitamos soldados capacitados.
> **COMO** *queramos un ejército profesional,* necesitaremos soldados capacitados.

– Si seguimos así, ganaremos la competición.

– A menos que no contrates a ese abogado, no continuaré en la sociedad.

– Si sigues conduciendo de ese modo, acabaremos en la cuneta.

– Si te mirara como yo sé, acabarías enamorándote de mí.

– En caso de que se retrase una sola vez, ya puede ir buscando otro trabajo.

c) Cambie el modo del verbo en las hipótesis siguientes (si está en indicativo, póngalo en subjuntivo y a la inversa).

– Si usted no me recibiera, tiraría la puerta abajo.

– Si vamos a alguna parte, podemos visitar Toledo.

– Si ella supiera dónde vive Elena, iría a pedírselo.

– Si te quedaras, verías algo bueno.

d) ¡Qué raros!

Tal vez no son tan raros, pero seguro que hay cosas en las caras de estas personas que usted cambiaría.

Imagínese que es un médico en cirugía estética. Elija a uno de los dos y redacte un informe en el que le sugiera algún cambio para mejorar su rostro. Utilice en todo momento frases con hipótesis y alternativas.

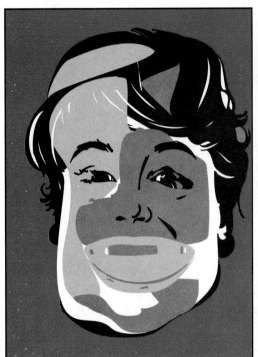

meta

cambie su ciudad : el consejo municipal

Práctica oral en grupo globalizadora del objetivo de la unidad: **expresar la alternativa y la hipótesis.**

Este ejercicio consistirá en un pequeño juego de rol donde cada alumno asumirá el papel de un concejal del ayuntamiento. Así, podremos jugar a cambiar todas esas cosas que no nos gustan de nuestra ciudad.

Desarrollo del ejercicio

1. Elección de un rol en el Consejo Municipal. (5 minutos)
Cada alumno (o una pareja de alumnos) escogerá el cargo de concejal municipal que quiera representar. Puede haber tantos cargos como alumnos:
– concejal de Medio Ambiente,
– concejal de Educación,
– concejal de Cultura,
– etc.

2. Trabajo del concejal. (15 minutos)
Después, cada alumno (o pareja de alumnos), basándose en la experiencia de su propia ciudad o pueblo, estudiará:
– los problemas relativos al cargo que se ha atribuido y
– las propuestas que podría hacer para solucionarlos.

3. Pleno del Consejo Municipal.
a) Una vez terminado el estudio, se reunirá el pleno del Consejo.
b) El primer concejal expondrá la situación que corresponde a su cargo, los problemas que afectan a su dominio y las soluciones que propone. (2 minutos)
c) Después seguirá un debate entre todos los participantes para aprobar o criticar el análisis de la situación expuesta y para apoyar o impedir las medidas propuestas por el concejal. (3 minutos)
d) Por último, se realizará una votación del conjunto del pleno. (1 minuto)
e) Se repetirán los pasos b), c) y d) para cada concejal.

Normas para la exposición

– Realizar propuestas breves y concretas, usando la hipótesis y la alternativa.
– Usar los conectores adecuados.
– Utilizar algún otro mecanismo de argumentación ya estudiado: ejemplos, preguntas, refranes, tópicos, argumentos de autoridad...
– Prever los inconvenientes de los interlocutores para poderlos rebatir.
– Tratar a los concejales siempre de usted.

LA ✱ MENTE
en boca de todos
Frases hechas y expresiones figuradas

reír, divertirse, pasarlo bien

a) Andar/irse de picos pardos.
b) Desternillarse/ morirse / mondarse de risa.
c) Divertirse como un enano.
d) Echar una cana al aire.
e) Mover el esqueleto.
f) Pasarlo en grande.
g) Reírse a mandíbula batiente.
h) Troncharse de risa.

A Relacione las expresiones anteriores con las explicaciones que siguen.

1. Pasarlo muy bien divirtiéndose mucho. (2)
2. Reírse mucho y con muchas ganas.
3. Reírse violentamente, a carcajadas. (2)
4. Marcharse de juerga, salir buscando diversión.
5. Bailar.
6. Hacer algo agradable que se sale de la rutina diaria.

B ¿Qué puede significar la expresión pasarlo bomba? Señale la respuesta correcta.

– Aburrirse mucho.
– Divertirse mucho.
– Ir a la guerra.

PRAGMÁTICA DE LA COMUNICACIÓN

UNA IMAGEN VALE +

Estos gestos subrayan el ritmo del discurso. Acompañan a las palabras, refuerzan el mensaje transmitido con el apoyo de las manos.

a. Las palmas hacia arriba: deseo de comunicación: gesto de apertura y comprensión.

b. Las palmas hacia abajo: deseo de sosegar el ambiente.

C ¿Cuál de las tres expresiones figuradas NO es la correcta en cada caso?

– El domingo pasado fui a ver esa obra de teatro que me recomendaste. A pesar de ser todo mímica, los actores lo hacían muy bien y resultó ser muy divertida. La verdad es que ....

    a) me lo pasé en grande.
    b) moví el esqueleto.
    c) me tronché de risa.

– Mi padre llevaba una semana encerrado en casa preparando ese proyecto tan complicado. Pero ayer, de repente, se tomó la noche libre y decidió......

    a) irse de picos pardos.
    b) echar una cana al aire.
    c) mondarse de risa.

– Ricardo tiene un gran sentido del humor. Se ha pasado toda la tarde contando unos chistes buenísimos y, claro, ...

    a) nos divertimos como enanos.
    b) nos hemos tronchado de risa.
    c) nos fuimos de picos pardos.

D dibujando EXPRESIONES

¿Qué expresiones están representadas...

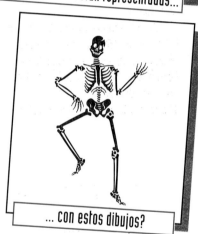

... con estos dibujos?

os gestos persuasivos con las palmas de las manos

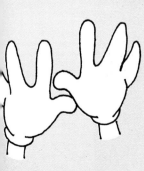

c. Las palmas hacia el exterior: sirve de protección y de rechazo.

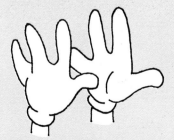

d. Las palmas hacia el interior: deseo de atraer al interlocutor.

e. Las palmas juntas o cruzadas: deseo de seguridad y de disimular la tensión.

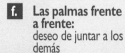

f. Las palmas frente a frente: deseo de juntar a los demás

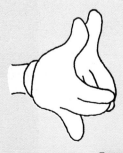

¿Cómo colocaría las palmas de las manos para acompañar la frase: "Calma, por favor, calma"?

ECHAR EL GANCHO

Objetivo

Las palabras negativas y el tratamiento de las objeciones.

Salida

Venta por teléfono

VIÑETA Nº21, pág. 185

HABLANTE

¿El señor Gutiérrez? Buenos días, **disculpe** que le moleste. Soy Juana Aranda, de la Academia de Idiomas Europae. Como usted sabe, somos especialistas en la enseñanza de idiomas en empresas y ésta es la razón por la cual le llamo. **Creo que** sería interesante que nos viéramos para hablar de este tema. ¿Cuándo le es posible? ¿El lunes o el martes próximo?

OBJECIONES DEL INTERLOCUTOR

....
....

¡Ah! **Lo lamento.** ¿Puede usted indicarme entonces con quién tengo que contactar y cuándo, por favor?

No tenemos tiempo, así que envíenos algún tipo de información o documentación.

Créame, eso supondría[1] **un problema**, porque por carta sólo podría exponerle las ideas generales. Es **difícil** responder a las necesidades concretas de su empresa si no nos vemos. Por eso **quizás** sería preferible que nos encontráramos el lunes o el martes próximo.

....
....

Lo entiendo perfectamente, señor Gutiérrez, por eso no es una **casualidad** que le haya telefoneado previamente. ¿Puede usted recibirme el lunes o el martes próximo? No le haré **perder** mucho tiempo.

Verá, es que en nuestra empresa ya tenemos la formación adecuada.

No estoy de acuerdo. Pero si es así, en muy pocos minutos podría decidir si puedo serle útil. ¿Estará usted en su despacho el lunes o el martes próximo?

Mire, es que no sé si me va a interesar.
....

Sí, naturalmente, pero no quiero **engañarle**: por teléfono se corre **el peligro** de darle sólo informaciones incompletas, por eso le propongo que nos veamos el lunes o el martes próximo.

Si no me dice de qué se trata exactamente no voy a poder recibirla.

Se trata de una formación que le interesa muy especialmente a su compañía. Parece que **usted no sabe** lo importante que es el dominio de los idiomas en una empresa con proyección[2] internacional. Nuestra oferta no es **cara**, no podrá **rechazarla**.

Bueno, mire, no es precisamente eso lo que me preocupa. ....
....

De acuerdo, señor Gutiérrez, ya veo que en estos momentos es usted un poco **reacio** a nuestra propuesta. Pero permítame que le vuelva a llamar dentro de algunos días. ¿Cuándo prefiere usted? ¿El lunes o el martes?

Léxico

[1] **suponer**: aquí, causar, traer consigo.

[2] **proyección**: aquí, acción y efecto de proyectar, dirigir el interés hacia algún lugar.

1 Deduzca las objeciones del interlocutor que no están escritas o las que aparecen incompletas en el texto anterior.

2 El problema de Juana Aranda es que ha usado muchas palabras y expresiones negativas. Obsérvelas clasificadas en estas fichas:

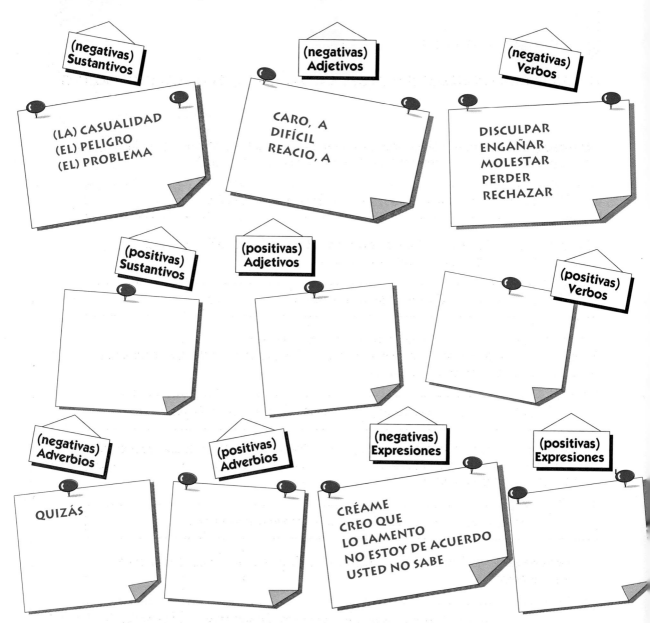

(negativas) Sustantivos
(LA) CASUALIDAD
(EL) PELIGRO
(EL) PROBLEMA

(negativas) Adjetivos
CARO, A
DIFÍCIL
REACIO, A

(negativas) Verbos
DISCULPAR
ENGAÑAR
MOLESTAR
PERDER
RECHAZAR

(positivas) Sustantivos

(positivas) Adjetivos

(positivas) Verbos

(negativas) Adverbios
QUIZÁS

(positivas) Adverbios

(negativas) Expresiones
CRÉAME
CREO QUE
LO LAMENTO
NO ESTOY DE ACUERDO
USTED NO SABE

(positivas) Expresiones

Complete las fichas con estas otras palabras y expresiones frecuentes, tanto positivas como negativas. Si son sustantivos escriba también el artículo que les corresponde, y si son adjetivos, señale si cambian de género.

pienso que, aburrimiento, personalmente, inseguro, defecto, desacuerdo, dudar, fragilidad, gasto, tal vez, riesgo, diversión, temor, previsión, barato, fácil, verdadero, auténtico, seguridad, favorable, acuerdo, ya lo creo, ahorro, exacto, imposible, no, malo, estoy de acuerdo, negativo, ventaja, posible, bueno, seguro, gastar, inexacto, ¡cómo no!, ahorrar, confiar, le escucho, ganar, valentía, aceptar, evidentemente, falso, fortaleza, sí, a lo mejor, efectivamente, ¡en absoluto!, utilidad, inconveniente, le corto, complicado, lo siento, positivo, ¡ni hablar!, usted sabe, desgraciadamente.

3 Póngase en el papel de Juana Aranda e intente hacerlo mejor que ella. Cambie lo que no le parezca bien. Quite las palabras y expresiones negativas o sustitúyalas por otras que sean positivas.

uso de la lengua

el tratamiento al interlocutor (uso de tú / usted, el voseo y el vocativo)

● **El tuteo** (llamar de **tú** al interlocutor) se ha extendido mucho últimamente, incluso entre personas que no se conocen (vendedor y cliente, por ejemplo).

> **EJEMPLO**
> *Como tú sabes, somos especialistas en la enseñanza de idiomas.*

● Sin embargo, el uso de **usted** sigue considerándose más adecuado en la vida profesional, puesto que sirve como distanciador.

> **EJEMPLO**
> *¿Puede usted indicarme entonces con quién tengo que contactar?*

Recuérdese que **usted** concuerda con el verbo en 3ª persona.
En algunas zonas de España (parte de Andalucía y Canarias) y en toda Hispanoamérica no existe **vosotros** y sólo se usa **ustedes**.

> **EJEMPLO**
> *¿Ustedes saben lo que pasó?* , en lugar de *¿Vosotros sabéis lo que pasó?*

● En la América hispanohablante está muy extendido el fenómeno llamado **voseo**, que consiste en el uso de **vos** en lugar de **tú**, como tratamiento familiar. El voseo va unido a formas verbales algo distintas*.

> **EJEMPLO**
> *Como vos sabés, somos especialistas en la enseñanza de idiomas.*

● El **vocativo** es el nombre de nuestro interlocutor. Colocado al principio sirve para llamar su atención.

> **EJEMPLO**
> *Señor Gutiérrez, como usted sabe, somos especialistas en la enseñanza de idiomas.*

Pero si se coloca en medio o al final, sirve para reforzar lo que decimos o para suavizarlo.

> **EJEMPLO**
> *Entiendo perfectamente, señor Gutiérrez, que sus preocupaciones de hoy día sean diferentes.*

* NOTA: Escuche con atención los textos de la Segunda etapa (Comprensión oral), Unidades 4 y 9, leídos con acento argentino, en los que se utiliza el voseo.

primera etapa
COMPRENSIÓN ESCRITA

La asistencia sanitaria

VEA LAS VENTAJAS DE SER SOCIO DE LA MEJOR COMPAÑÍA DE ASISTENCIA SANITARIA

Con Sanilud podrá realizar una libre elección de médicos especialistas de todas las ramas de la medicina.

Le ofrecemos una red de 300 clínicas y hospitales en toda España, donde dispone de la más alta tecnología, con habitaciones individuales y camas de acompañantes.

Hemos creado para usted el nuevo Servicio Dental Sanilud, con empastes y ortodoncias gratuitos hasta los 8 años.

Puede disfrutar de todos estos servicios simplemente por ser socio de Sanilud. Todo es poco si se trata de cuidar su salud.

Además, siéntase seguro en sus viajes al extranjero. En cualquier parte del mundo estamos a su lado.

Con sólo presentar la Tarjeta-Cliente, Sanilud agilizará la asistencia médica. Así consigue Vd. una atención cómoda, moderna y personalizada.

Para más información llame al teléfono:
800 00 11 00

a) Imagine que usted trabaja para Sanilud captando nuevos socios. Ha llamado por teléfono a un posible cliente y éste le hace las siguientes preguntas y objeciones. ¿Qué respondería usted?

– No conozco esa compañía. ¿De qué ventajas me habla?

– ....

– Sí, pero habrá que pagar más.

– ....

– ¿Y si salgo de viaje?

– ....

– De todas formas, todas las compañías son iguales, muy lentas.

– ....

b) Busque en el texto los antónimos de las siguientes palabras. Luego clasifíquelas según sean sustantivos, adjetivos o verbos:

- colectivas: _____
- mucho: _____
- inseguro: _____
- descuidar: _____

- baja: _____
- ralentizar: _____
- peor: _____
- perder: _____
- viejo: _____

VIÑETA Nº22, pág. 185

c) Muchas palabras pueden transformarse en su antónimo añadiéndoles los prefijos DES- o IN-. Escriba el antónimo de las siguientes palabras mediante este sistema y luego indique cuál de las dos es la positiva.

- acertar: _____
- capaz: _____
- cansar: _____
- dicha: _____
- animar: _____
- feliz: _____
- enfadar: _____
- equívoco: _____
- ilusión: _____

- acuerdo: _____
- comodidad: _____
- afortunado: _____
- oportuno: _____
- interés: _____
- curable: _____
- contento: _____
- adecuado: _____
- amor: _____

segunda etapa
COMPRENSIÓN ORAL

Acentos cubano y gallego

Te vendo el caballo

a) Escuche solamente la primera parte del diálogo.

- ¿Qué quiere venderle Miguel a Sergio?

- ¿Qué habilidades tiene? Subraye las palabras y frases correctas:

- Sabe cocinar.
- Limpia la casa.
- Lava la ropa.
- Lee en voz alta.

- Limpia el polvo.
- Plancha.
- Friega los platos.
- Sabe hablar.

- Miguel valora y halaga a Sergio al principio. ¿Qué cosas le dice?

- Enumere las objeciones que pone Miguel para no comprarlo.

 Escuche ahora la segunda parte del diálogo.

- ¿Ha hablado el caballo con Sergio?

- ¿Qué expresión figurada se dice?
  Señale la respuesta correcta:
  - No ha soltado prenda.
  - Habla por los codos.
  - No ha dicho esta boca es mía.
  - No ha dicho ni mu.

- Enumere los inconvenientes que tiene el caballo.

- Ordene cronológicamente las viñetas siguiendo la historia que ha escuchado.

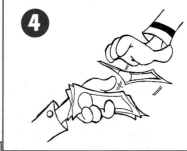

EXPRESIÓN ORAL

 Las frases suicidas

Las siguientes frases deben evitarse si queremos persuadir a alguien de que haga algún negocio con nosotros. Por eso, cada alumno sustituirá una de estas "frases suicidas" por otra más adecuada.

1 - Discúlpeme que le moleste.

2 - ¿Le interesa esto?

3 - Es demasiado temprano para hablar de...

4 - Pasaba por aquí por casualidad.

5 - Si lo que me dice es verdad...

6 - Usted es el primero en hablarnos de eso.

7 - Vengo a ver si usted tiene algún problema.

8 - Veo que le molesto.

9 - ¿No necesita nada?

10 - ¿Tiene bastante ...?

11 - No tiene solución.

12 - Es un mal momento.

13 - Yo en su lugar...

14 - Es todo.

unidad 11

Discúlpeme que le moleste. → *Le agradezco que me atienda un momento.*
¿Le interesa esto? → *Estoy seguro de que esto le va a interesar.*

b) El lado positivo

Ya sabemos que aunque en la vida muchos sólo ven lo negativo, siempre hay otros cerca que les enseñan lo positivo.

EJEMPLO

PROFESOR: Os voy a explicar algo difícil que quizás no vais a entender. Escuchad atentamente.
ALUMNO: No se preocupe, seguro que usted lo va a explicar muy bien.

Practiquemos pequeños diálogos de este tipo. La clase se dividirá en parejas y cada una inventará una situación imaginaria en la que un alumno hará el papel del pesimista y el otro el del optimista.

c) Ring, ring...

Material necesario: diversos folletos publicitarios de bancos, empresas comerciales, ofertas de compra, etc.

La clase se vuelve a dividir por parejas. Cada una elige un producto a partir del material anterior y prepara un pequeño diálogo de vendedor-cliente. El primero debe llamar por teléfono al segundo e intentar venderle el producto.

El papel del vendedor consiste en saludar, presentarse y enumerar las ventajas de su oferta. Es recomendable comenzar con una pregunta cerrada, a la que el cliente se vea obligado a responder que "sí", para que entre en comunicación.
El cliente debe poner objeciones: *¿de qué se trata?, ahora no tengo tiempo, estoy muy ocupado, no me interesa, utilizo otros servicios,* etc.

En este diálogo los alumnos pueden hablarse de usted o de tú. Cada pareja tiene 1 minuto para exponerlo delante de la clase. Al final se vota cuál es el mejor.

cuarta etapa
EXPRESIÓN ESCRITA

a) Cambie las frases siguientes, poniendo usted/ustedes donde haya tú/vosotros y viceversa.

– En muy pocos minutos podrían ustedes decidir si puedo serles útil.
– ....
– Por favor, sé sensato y conduce con prudencia.
– ....
– Permítame que le vuelva a llamar dentro de algunas semanas.
– ....
– Créanme, eso supondría un problema.
– ....
– Todavía no sé cómo os llamáis.
– ....
– Si hubieras mirado bien no te habría pasado.
– ....

b) En el voseo se usan las formas verbales del vosotros (2ª persona del plural), pero un poco cambiadas:

- Presente de indicativo: **vos sabés** (viene de **sabéis** pero eliminando la **i**).
- Pretérito indefinido: **vos cantastes** (viene de **cantasteis** pero eliminando la **i**).
- Imperativo: **vos decí** (viene de **decid** pero quitando la **d** final).

● Transforme las oraciones siguientes de vos a tú y a la inversa:

– Decíme, Miguel, me tenés muy intrigado.
– ....
– Si eso es verdad... ¿por qué no te quedas tú con el caballo?
– ....
– Vos sos mi amigo, te lo ofreceré barato.
– ....
– Tú me vendiste un caballo que no habla.
– ....

c) Utilice las siguientes palabras como vocativos e introdúzcalas en las frases adecuadas:

■ camarero ■ Dios mío ■ doctor ■ Juan ■ niño ■ querido amigo

– Hace mucho tiempo que nos conocemos, por eso permítame que le diga que está Vd. equivocado.
– Tráigame un café con leche, por favor.
– ¿Cómo está mi marido?
– Haz el favor de irte a jugar con la pelota un poco más lejos.
– Coge el teléfono, que yo estoy ocupada.
– ¡Qué cara se ha puesto la vida!

d) Cuenta, cuenta...

LAS CARTAS PERSONALES

Las cartas personales son las que se escriben los amigos, los familiares, los conocidos, etc., contándose diversas cosas. Son muy ricas en información, pues las comerciales -como ya se vio en la Unidad 7- están sometidas a unas normas de estructura y contenido.
Las cartas personales son más espontáneas y naturales y el estilo que se usa es el coloquial. Esto se observa sobre todo en el saludo y la despedida.

SALUDOS: Querido/a, Estimado/a, ¡Hola! Qu tal?
DESPEDIDAS: Un abrazo, Besos, Te quiere, Tuyo/a siempre, No te olvida...

Imagine que en su trabajo hay una persona con la que le gustaría salir. Un amigo que vive lejos le recomienda por carta que la llame por teléfono un sábado y la invite a tomar una copa. Usted no está muy seguro de hacerlo porque no sabe nada de ella. Un día se decide y la llama; pero ella le da calabazas.
Escríbale una carta a su amigo y cuéntele cómo fue la conversación por teléfono y por qué no tuvo éxito.

Práctica oral en grupo globalizadora del objetivo de la unidad:

las palabras negativas y el tratamiento de las objeciones.

La finalidad de este ejercicio es preparar unos argumentos para convencer a alguien de algo a través de una llamada telefónica.

Desarrollo del ejercicio

1. La clase se divide por parejas y entre los dos deciden a quién se va a telefonear y con qué motivo. (5 minutos)

EJEMPLOS

– El director de un banco para ofrecer nuevos servicios a un cliente.
– Venta de unos productos por correo.
– Cancelar unos billetes de viaje.
– El dueño de un hotel para proponer ofertas de alojamiento al personal de una empresa.

---

2. Establecer un conjunto de argumentos y preparar las respuestas con las posibles objeciones. (20 minutos)

3. Simular la llamada delante de toda la clase. (3 minutos cada pareja)

4. Votar entre todos cuál ha sido la mejor. (2 minutos)

Normas para el diálogo

La persona que llama:
– Sonreír (la sonrisa se oye).
– Dejar hablar al interlocutor y valorarlo.
– Pronunciar palabras de asentimiento: "sí", "claro", "por supuesto"...; y nunca sonidos del tipo "mmm...".
– Evitar las frases demasiado largas y las palabras o expresiones negativas.

La persona que responde:
– Poner objeciones.

LA MENTE

en boca de todos
Frases hechas y expresiones figuradas

persuadir

a) Comer el coco a alguien.
b) Lavar el cerebro a alguien.
c) Dar coba/jabón a alguien.
d) Hacer la rosca/la pelota a alguien.
e) Echar el gancho.
f) Meterse a alguien en el bolsillo.
g) Tener mano izquierda.

A Relacione las expresiones anteriores con las explicaciones que siguen.

1. Ganarse el favor y la confianza de una persona a base de convencerla. (2 expresiones)
2. Convencer a alguien de algo, presionándole mucho. (2 expresiones)
3. Saber tratar muy bien (con tacto y astucia) a determinadas personas.
4. Halagar a alguien. Darle siempre la razón para conseguir algo a cambio. (2 expresiones)

B Subraye las expresiones figuradas que aparecen en las siguientes frases e intente deducir su significado.

- Ese pintor es un verdadero estafador, lo que pasa es que se ha hecho famoso porque siempre ha tenido muchos críticos que le han bailado el agua.
- Cuando Ramón se toma un par de copas se pone insoportable. En esos casos lo mejor es seguirle la corriente para que se tranquilice y llevarle a casa enseguida.

PRAGMÁTICA DE LA COMUNICACIÓN

UNA IMAGEN + VALE

Estos gestos subrayan el ritmo del discurso. Acompañan las palabras, refuerzan el mensaje transmitido con el apoyo de las manos.

Relacione los gestos con su significado.

a. De igual a igual:

b. Con la punta de los dedos:

C Rellene los espacios con la expresión adecuada.

- Meter en el bolsillo.
- Tener mano izquierda.
- Hacer la pelota.

FÁBULA

En una ocasión, una zorra vio a un cuervo posado sobre la rama de un árbol. Como la zorra estaba hambrienta y el cuervo llevaba en el pico un enorme trozo de queso, se acercó a él y le dijo:

– ¡Qué suerte tengo! Nunca he oído el graznido de un cuervo y todos me han dicho que es un sonido maravilloso.

El cuervo la miró asombrado, mientras la zorra seguía ....:

– ¿Podrías deleitarme con un pequeño canto? – le preguntó.

Con sus palabras, la zorra pretendía .... para que al abrir el pico soltara el trozo de queso. El cuervo seguía sin hablar, pero se le veía contento de escuchar aquellas palabras. Por eso, la astuta zorra, que ...., continuó con sus halagos:

– No dejes que me vaya sin haber podido disfrutar de tus hermosos trinos. Seguro que no los podré olvidar jamás.

El cuervo estaba tan convencido de su sinceridad que quiso ofrecerle el canto que le pedía. Pero al abrir el pico se le cayó el queso y vio cómo la zorra lo cogía al vuelo. Evidentemente, ésta no se esperó a oír ni la primera nota. .

el apretón de manos

e. Con el brazo estirado:

c. Con mano de hierro o dominante:

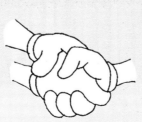

1. inspirar confianza,
2. desconfianza,
3. respeto y simpatía,
4. guardar las distancias,
5. autoridad y dominio de la situación.

d. La mano invasora:

NO TE PARES

Objetivo

Intervenir, pedir asentimiento, ceder la palabra.

Salida

El estacionamiento de pago sobre la vía pública

VIÑETA Nº23, pág. 185

Moderador: Para intentar resolver el problema del aparcamiento en las calles de las grandes ciudades, los ayuntamientos están obligando a pagar por aparcar en algunas vías, especialmente en las céntricas. ¿Qué opinan ustedes sobre la eficacia de esta medida?

A favor	A favor o en contra, según los casos	En contra

A favor

En primer lugar, cabría recordar lo difícil que es aparcar en las calles de las grandes ciudades, sobre todo de lunes a viernes...

Deje que termine de hablar, por favor. Yo creo que con esta medida los coches no ocupan durante horas las pocas plazas de aparcamiento, pues escasean incluso en los garajes de pago.

Me parece que está usted exagerando.

¡Nada de eso! Todo está en función de la oferta y la demanda. A más coches, más caro el estacionamiento.

A favor o en contra, según los casos

A mí me parece un buen sistema, porque así la gente usa más el transporte público y se reduce la contaminación. Pero si no le gusta a la mayoría de los usuarios es que tiene fallos, ¿no?

¿Podría decir algo?

En contra

Muy bien, pero para eso están los garajes de pago.

En efecto. Pagar por aparcar en la calle es un sistema incómodo y poco práctico. Por ejemplo, las máquinas de los tiques se averían muchas veces y algunas no devuelven cambio.

¿Exagerando? Mire, no sólo es incómodo, sino caro. No me parece justo que cada ciudad tenga un precio distinto. ¿No le parece?

Moderador: Tiene usted la palabra.

De todas formas, sería mejor sistema si se aplicara con rigor. Por ejemplo, las multas no las paga nadie.

Totalmente de acuerdo. Por eso hay que perfilar[1] algunas cuestiones. Por ejemplo, vamos a intentar que la grúa intervenga con más frecuencia.

En el futuro lo mejor sería que se prohibiera la circulación con vehículo propio por el centro de las ciudades.

Eso ya sería intolerable. Con ello sólo se conseguiría hacerlo más impopular. Está visto que es una medida sin futuro.

Léxico

[1] **perfilar**: aquí, detallar o dejar algo muy trabajado.

1 Sólo el participante que está "a favor o en contra, según los casos" ha dado una solución final. En su opinión, ¿qué dirían los otros dos si pudieran tener un último turno de palabra?

2 ¿Qué participante le ha convencido más? ¿Por qué?

3 Observe los conectores de debate clasificados en estas fichas:

Interrumpir o cortar a alguien (con moderación)

MIRE, YO ¿PODRÍA DECIR ALGO?

Interrumpir o cortar a alguien (con fuerza)

¡ES INTOLERABLE!
¡ESTÁ EXAGERANDO!
¡NADA DE ESO!

Interrumpir o cortar a alguien (siguiendo los argumentos del interlocutor)

EN EFECTO.
MUY BIEN (DICHO).
TOTALMENTE DE ACUERDO.

Pedir asentimiento

¿NO?
¿NO LE PARECE?

Ceder la palabra (posibilidad inmediata)

TIENE (USTED) LA PALABRA.

Ceder la palabra (imposibilidad inmediata)

DEJE QUE TERMINE DE HABLAR.

Ahora, clasifique los siguientes conectores en la ficha adecuada:

¡EN ABSOLUTO! / ¡PERDÓN! / ¡POR FAVOR! / ¡TODO LO CONTRARIO! / ¡UN MOMENTO! /
¿DE ACUERDO? / ¿NO ES ASÍ? / ¿NO ES ESO? / ¿NO ES VERDAD? / ES SU TURNO /
¿PODRÍA AÑADIR - AGREGAR ALGO? / ¿VERDAD? / ADELANTE / DESDE LUEGO /
HAY ALGUIEN ANTES QUE USTED / EXACTAMENTE / HAGA EL FAVOR DE CALLARSE /
LE INTERRUMPO / LE TOCA A USTED / NO (ME) INTERRUMPA /
NO HABLEN TODOS AL MISMO TIEMPO / PERDONE LA INTERRUPCIÓN /
PERDONE QUE LE CORTE / POR ORDEN / YA - AHORA PUEDE INTERVENIR

uso de la lengua

el resumen y la contracción

Resumir un texto oral o escrito es decir en pocas palabras lo más importante, sus ideas esenciales.

Para ello, lo más práctico es destacar primero los términos claves, subrayándolos si es escrito o anotándolos si es oral. Y después volver a escribir el texto con nuestras propias palabras.

EJEMPLO

En el debate sobre el estacionamiento, se han subrayado las palabras claves del participante que está a favor o en contra, según los casos. Y éste sería el resumen:

Me parecería un buen sistema si se aplicara con rigor,
aunque lo mejor sería prohibir la circulación en el centro de las ciudades.

Contraer un texto es reducirlo a las ideas esenciales, expresadas con las mismas palabras del que lo ha realizado.

Para ello, se van eliminando las palabras, frases o párrafos que no sean importantes.

EJEMPLO

La contracción de lo que dice el participante anterior sería:

Me parece un buen sistema, pero tiene fallos. Sería mejor si se
aplicara con rigor o se prohibiera la circulación por el centro.

---

uno **Haga el resumen de las palabras del participante que está a favor del estacionamiento de pago sobre la vía pública.**

dos **Haga la contracción de las palabras del participante que está en contra.**

COMPRENSIÓN ESCRITA

Cómo llamar a casa por teléfono

Llamar por teléfono cuando se está de viaje puede traer más de una sorpresa. Las fórmulas para pagar y las tarifas son tan variadas como los modelos de aparato. Y según los casos la diferencia de precio es importante.

SISTEMAS	VENTAJAS	INCONVENIENTES	CONDICIONES DE USO	COSTE
CABINAS	Se controla fácilmente el gasto. Hay muchas en todo el mundo.	Hay que tener monedas sueltas. Se puede cortar la llamada.	En algunas cabinas no se aceptan todas las monedas en circulación.	El precio de las llamadas es un poco superior al de un teléfono particular.
LOCUTORIOS	No se cortan las llamadas. Están en lugares cerrados.	No hay demasiados, y la mayoría pertenecen a compañías privadas.	Como un teléfono normal.	Los locutorios privados añaden un recargo sobre el precio normal.
HOTELES	No se cortan las llamadas. Es muy cómodo.	Es la forma más cara de llamar por teléfono.	Como un teléfono convencional o a través de la centralita del hotel.	En algunos casos, los recargos superan el doble del precio normal.
TARJETA DE PAGO	No se necesita cambio y es fácil de transportar.	No es posible usarla combinada con efectivo.	Sólo se puede utilizar en cabinas preparadas para ello.	Se paga sólo el precio real de cada llamada.
TARJETA PERSONAL	Tarjeta personalizada. Se puede llamar desde cualquier teléfono.	En España aún es cara.	Es necesario disponer de un número de teléfono, previamente contratado, en el que cargar los recibos.	Emisión: 500 pts. Mantenimiento: 100 pts. al mes.
TARJETA DE CRÉDITO	Se puede utilizar una tarjeta de crédito normal.	No todas las cabinas la admiten.	En España se aceptan, de momento, sólo algunas.	Según el país. En España el mínimo es de 200 pts. por llamada.
COBRO REVERTIDO	No hace falta ni dinero ni tarjeta.	En varios países no se puede utilizar desde todas las cabinas.	Hay que esperar la autorización del interlocutor.	Llevan recargo sobre la tarifa normal.

EL PAÍS DE LAS TENTACIONES

a) Elija tres sistemas del cuadro y realice por escrito un pequeño debate en el que usted represente a tres interlocutores diferentes. Cada uno deberá defender las ventajas de su sistema, utilizando los conectores adecuados.

> **EJEMPLO**
>
> *A (**hotel**): Mira, yo creo que llamar desde el hotel es el sistema más cómodo: no se cortan las llamadas y estás tranquilamente sentado.*
> *B (**locutorio**): ¡Nada de eso! En un locutorio tampoco se cortan las llamadas, puedes estar sentado y encima es más barato.*
> *A (**hotel**): De acuerdo, pero la oferta de locutorios no es abundante. No es fácil encontrarlos.*
> *C (**cabinas**): Por eso la mejor manera de llamar es desde una cabina, ya que hay un gran número por todo el mundo. ¿No es verdad?*

VIÑETA Nº24, pág. 185

b) ¿Qué sistema tiene mejores **CONDICIONES DE USO** según su opinión? ¿Por qué?

Defiéndalo enumerando los inconvenientes de los otros.

segunda etapa
COMPRENSIÓN ORAL

Acentos argentino, mexicano y neutro

¿Existe el amor eterno?

a) ¿Qué interlocutor opina que existe el amor eterno? ¿El primero que habla o el segundo?

b) ¿Qué conectores se han usado? Señálelos con una cruz:

- ☐ ¡En absoluto!
- ☐ Perdone que le interrumpa.
- ☐ Desde luego.
- ☐ Mire, yo...
- ☐ ¡Perdón!
- ☐ Perdone que le corte.
- ☐ ¡Por favor!
- ☐ Nada de eso.
- ☐ ¡Todo lo contrario!
- ☐ ¿Verdad?

c) Complete las frases con las palabras que faltan:

-El amor es un sentimiento primitivo que está en los

....

-Eso no quiere decir que se .... sobre una sola

persona y ....

-El ser humano nace con la .... de amar.

-El amor se .... por muchas razones: decep-

ciones, pérdida de la .... sexual, los ....

-Yo creo que lo que usted llama .... es en realidad

....

d) Responda a la pregunta que formula la moderadora al final.

e) Añada usted una idea personal a favor y otra en contra del tema que se plantea.

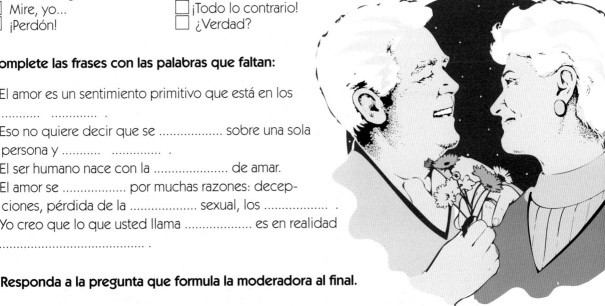

tercera etapa
EXPRESIÓN ORAL

 a) Mini-debate: la eutanasia

Si usted fuera un médico partidario de la eutanasia, ¿con cuál de estas maneras de actuar estaría de acuerdo?

> 1. *Colaborar con la voluntad del paciente cuando previamente ha dado su autorización y, por ejemplo, inyectar un barbitúrico relajante muscular que no cause dolor y tenga efecto rápido.*
> 2. *Negarse a iniciar un tratamiento de una enfermedad grave en un paciente portador de un proceso irreversible.*
> 3. *Interrumpir el tratamiento cuando usted considerara que continuarlo sólo puede prolongar el sufrimiento.*

 b) Sondeo: ¿Te consideras feliz?

Según un sondeo realizado en España, éstos son los datos de cómo se considera la gente en relación a la felicidad.

- 2,5%   se considera el ser más feliz del mundo.
- 56,9% no el más feliz del mundo, pero no se cambiaría por nadie.
- 35,4% no le vendrían mal unos cuantos cambios importantes.
- 1,5%   se siente francamente infeliz.
- 0,5%   considera que su vida es una catástrofe.
- 3,2%   no sabe / no contesta.

Vemos que sólo el 2% de los encuestados no se sienten felices y el 95% son felices en lo esencial.

1. ¿Dónde se pondría usted?
Comparemos los resultados de la clase con los del sondeo anterior. El profesor anotará en la pizarra la respuesta de cada alumno. Después, entre todos, elaborarán los porcentajes.

2. ¿Se han obtenido los mismos resultados o son diferentes? ¿Por qué?
Cada alumno dará su opinión, teniendo en cuenta los factores que igualan o diferencian a España de su propio país: la calidad de vida, el trabajo, las relaciones afectivas, las perspectivas de futuro, etc.

C) **Debate con varias entradas**

En la 1ª etapa de la unidad se trabajó por escrito un debate con varias entradas, es decir, donde las posiciones de los interlocutores podían ser múltiples, no sólo a favor y en contra. Ahora la clase va a realizar un mini-debate de este tipo a partir de uno de los temas siguientes:

¿Cuál es la mejor manera de buscar un empleo: anuncios, amigos y conocidos, oposiciones?

¿Cuál es el mejor medio de comunicación: la radio, la prensa o la televisión?

¿Cuál es el deporte más completo: la natación, la gimnasia, etc.?

¿Para quién te vistes tú: para ti mismo, para los demás, para ti y para los demás, para nadie?

 **cuarta etapa**
EXPRESIÓN ESCRITA

 a)

¿El trabajo nos hace libres?

Interlocutor 1: Sólo el trabajo hace al hombre libre, es lo que diferencia al ser humano del animal, pues en él demuestra su inteligencia. Lo ideal sería no depender de nada ni de nadie para trabajar; pero aunque sea un jefe el que imponga una tarea, sólo el individuo tiene el poder de transformar la naturaleza (o el objeto). El trabajo nos permite actuar y con ello adquirir un espacio de libertad. Al trabajar, el hombre se hace dueño de las cosas y de sí mismo, se revela su propia libertad.

Interlocutor 2: El trabajo en nuestra sociedad está organizado de tal manera que el ser humano se ha convertido en un esclavo del sistema. Lo único que el trabajo proporciona son tensiones y fatigas, sobre todo si se trata de la producción en cadena, donde el hombre se convierte en un ser dependiente, bien de la máquina, bien de la productividad. Por eso, sólo puede sentirse libre en sus momentos de ocio, en los que por fin tiene la ocasión de descubrirse a sí mismo y de desarrollar plenamente su libertad.

● **Subraye las palabras claves de lo que dice el interlocutor 1 y luego haga el resumen del texto.**

● **Tache las palabras y frases menos importantes de lo que dice el interlocutor 2 y haga la contracción del texto.**

b) [_____] (Póngale título al texto.)

"La mentira es un refugio en tiempos de necesidad, la mejor amiga del hombre... Solamente los niños y los tontos dicen siempre la verdad", solía sentenciar Mark Twain. La conclusión es inmediata: para las personas inteligentes y los adultos, el engaño es un recurso habitual, tolerable, práctico e incluso elegante.

Por algo se afirma que una gran mentira puede dar la vuelta al mundo mientras la verdad todavía se está poniendo los zapatos... Si no lo crees, cuenta a alguien que existen cinco billones de estrellas en el Universo. Te creerá sin rechistar. Pero si le dices que el banco donde se va a sentar está recién pintado, lo tocará para comprobarlo.

Pero no todas las mentiras son jocosas, piadosas o evitan un mal mayor: de hecho, engañar con la intención de causar daño o jugar con ventaja es un mecanismo de supervivencia inscrito en nuestros genes desde el origen mismo de la vida. Pero cuando la desconfianza constituye la actitud normal hacia los demás, la paz social está amenazada.

Óscar Becerra. Revista *QUO.*

- Subraye las palabras claves del texto y luego haga el resumen.

- Elimine las palabras y frases menos importantes y haga la contracción del texto.

- De este texto podrían sacarse varios temas de debate.
  Por ejemplo: "¿Es la mentira un recurso tolerable?".
  Responda a esta pregunta por escrito dando argumentos a favor, en contra, o a favor y en contra según los casos.

Desarrollo del ejercicio

1. Elección del tema. (5 minutos)

Los alumnos enumeran previamente una serie de temas de actualidad mediante una lluvia de ideas. Después se elige el mejor por votación.

2. Distribución de los papeles. (5 minutos)

Para hacer el debate se necesitan:
a) Un moderador.
b) Un grupo de observadores (mínimo 3), que deciden al final quiénes han sido más convincentes.
c) Varios grupos de alumnos representando los diferentes puntos de vista:
- el grupo que está a favor,
- el grupo que está en contra,
- el grupo que podría estar a favor o en contra, según los casos.

3. Preparación del debate. (15 minutos)

Cada alumno prepara el debate según el papel que tenga.

- El moderador organiza los conectores que necesita para distribuir y controlar los turnos de palabra.

Práctica oral en grupo globalizadora del objetivo de la unidad: intervenir, pedir asentimiento, ceder la palabra.

- Los grupos de discusión elaboran sus argumentos, prevén las posibles objeciones y piensan los conectores que van a usar.
- Los observadores tienen que hacerse una plantilla de evaluación como la siguiente:

CUESTIONES QUE EVALUAR	PARTICIPANTES									
Escribir sí o no	1	2	3	4	5	6	7	8	9	...
¿Se ha ajustado al tema?										
¿Se ha expresado de forma clara?										

4. El debate

Para el debate, los diferentes grupos de discusión se sientan formando un círculo y los observadores están un poco alejados.

Cada participante debe intervenir por lo menos una vez.

Desarrollo del debate: 25 minutos.

Al final los observadores analizan el comportamiento de los participantes de cada grupo, evalúan los argumentos aportados y deciden quién les ha parecido más convincente, tanto desde el punto de vista individual como de grupo. (5 minutos)

LA MENTE

en boca de todos
Frases hechas y expresiones figuradas

la suerte y el azar

a) Echar / tirar a suerte.
b) La ocasión la pintan calva.
c) La suerte está echada.
d) Nacer con estrella.
e) Nacer de pie.
f) Otro gallo me / te / le / nos / os / les cantara.
g) Probar suerte.
h) Sonar la flauta (por casualidad).
i) Tener buena sombra.
j) Tener mala pata.
k) Unos nacen con estrella y otros nacen estrellados.

A Relacione las expresiones anteriores con las explicaciones que siguen (entre paréntesis aparece el número de frases que pueden relacionarse con esa definición).

1. Tomar parte en un sorteo. (2 expresiones)
2. Frase que equivale a "la suerte sería diferente y mejor".
3. Tener suerte. (3 expresiones)
4. Tener mala suerte.
5. Refrán con el que se indica la distinta suerte de las personas.
6. Expresión que indica que no hay posibilidad de volverse atrás.
7. Frase para indicar que debe aprovecharse la ocasión ventajosa que aparece sin esperarla.
8. Ser algo un golpe de suerte, una inesperada casualidad.

PRAGMÁTICA DE LA COMUNICACIÓN

UNA IMAGEN VALE +

a. Manifestar que alguien es un fresco o un desvergonzado:
el español se da con la palma o el dorso de la mano unos golpecitos en la mejilla y añade: *tú, lo que tienes....es mucha cara; ¡qué cara!*

b. Expresar que hay mucha gente en un sitio:
se apiñan los dedos de una de dos manos y se separan en un movimiento rítmico. Se añade: *está así...; está de bote en bote...; no cabe ni un alfiler; está hasta l[os] topes.*

c. Manifestar a alguien que pare de hablar:
se hace con un gesto de los dedos índice y medio, que se abren y se cierran evocando el movimiento de las tijeras. Se añaden las frases: *¡Corta el rollo!; ¡Cállate!; ¡No sigas!*

d. Manifestar que alguien está muy delgado:
se levanta la mano, con el puño cerrado y el meñique extendido. Se añaden las expresiones: *está como un fideo; se ha quedado como un palillo; está en los huesos.*

EN FORMA

unidad 12

B ¿Cuál es la expresión más adecuada en cada caso?

Cada vez que mi padre lava el coche, llueve. La verdad es que:

– ha nacido de pie.
– ha sonado la flauta.
– tiene mala pata.
– la ocasión la pintan calva.

Si en vez de su santa voluntad hubiera seguido mis consejos:

– otro gallo le cantara.
– habría nacido con estrella.
– la suerte estaría echada.
– tendría mala pata.

C dibujando **EXPRESIONES**

Todos me decían que no me cambiara de trabajo. Yo lo he hecho porque creo que a la larga será mejor para mí. Ahora ya

........................., y no pienso cambiar de idea.

– la ocasión la pintan calva
– la suerte está echada
– otro gallo me cantara

Ernesto siempre ha sido un hombre con suerte: se libró de hacer la mili por excedente de cupo, encontró trabajo nada más acabar la carrera, le ascendieron en menos de un año y encima le tocó la lotería. En cambio su hermano está en paro, su mujer le ha dejado y la casa donde vive tiene problemas de aluminosis. Es lo que yo digo:

– unos nacen con estrella y otros nacen estrellados.
– la suerte está echada.
– los dos han nacido de pie.
– la ocasión la pintan calva.

¿Qué expresión está representada con este dibujo?

gestos y ruidos españoles

¡atchís!

¡Jesús!

muuu

¡pumba!

pío pío

quiquiriquí

guau

¡pum!

¿Y en su país? Indique Vd. algún gesto o algún ruido que sea diferente de los españoles.

PREPARACIÓN

DIPLOMA BÁSICO DE ESPAÑOL COMO LENGUA EXTRANJERA

PRUEBA 1: COMPRENSIÓN DE LECTURA

A continuación encontrará un texto con una serie de preguntas. Marque la opción correcta.

Construir con CD-ROM

En nuestro país más de 300.000 productos de construcción diferentes están vinculados de una u otra manera a este sector. Llegar a tener un conocimiento de todos ellos y poder localizarlos con rapidez resulta muy difícil.

Una empresa de Barcelona, Acae, empezó en el año 1994 a simplificar esta tarea publicando catálogos de materiales de construcción, así como toda la información útil que habitualmente se utiliza en un despacho de arquitectura.

El soporte de las primeras ediciones era el papel, pero pronto empezaron a aparecer los problemas. «Las actualizaciones resultaban bastante caras; las búsquedas, dificultosas, y los archivos ocupaban cada vez más espacio, por lo que en abril del pasado año decidimos empezar a editarlo en CD-ROM», explica José Julio Laszewicki, uno de los socios de Acae.

Este catálogo informático de materiales de construcción reproduce una fotografía del producto, hace una descripción técnica del mismo y muestra la forma de localizarlo. El sistema de clasificación, totalmente español, utiliza unos criterios que permiten acceder a cada uno de los materiales contenidos en el CD-ROM desde tres denominaciones distintas, incluso comerciales.

El programa informático utilizado permite, además, trasladar la información del catálogo a los planos, memorias o presupuestos del usuario.

Desde primeros del pasado mes de marzo, el catálogo de la empresa barcelonesa puede ser consultado también a través de la red Internet.

Adaptado de *El País*

PREGUNTAS

1 Nunca será posible conocer y localizar todos los productos de construcción.
a) verdadero   b) falso

2 La empresa barcelonesa Acae ha simplificado la tarea reduciendo el número de los productos.
a) verdadero   b) falso

3 Los archivos ocupan demasiado espacio y no caben en el CD-ROM.
a) verdadero   b) falso

4 El sistema de clasificación:
a) proporciona tres denominaciones por producto en tres lenguas diferentes.
b) sólo propone denominaciones comerciales.
c) permite una consulta fácil de todos los productos.

5 Según el texto:
a) se pueden consultar los productos en Internet.
b) no se puede exportar la información del CD-ROM al material del usuario.
c) el programa informático está disponible desde el pasado mes de mayo.

PRUEBA 2: EXPRESIÓN ESCRITA

PARTE 1: CARTA

Redacte una carta de 150-200 palabras (unas 15-20 líneas). Comience y termine la carta como si ésta fuera real.

Usted ha pasado una semana en un hotel de una localidad española. Al regresar a su país ha descubierto que ha olvidado algunas cosas en la habitación. Escriba una carta al director del hotel. En ella le deberá:
- dar sus datos personales;
- exponer su problema;
- solicitar el envío de sus cosas;
- indicar la forma en que pagará los gastos de envío;
- agradecer el favor.

PARTE 2: REDACCIÓN

Escriba una redacción de 150-200 palabras (unas 15-20 líneas).

Probablemente le gustaría contar cómo es la ciudad o el pueblo donde usted vive. Descríbalo haciendo referencia a los siguientes aspectos:
- el lugar;
- las personas que allí viven;
- los sitios de ocio o diversión;
- lo que a usted le gusta más.

PRUEBA 3: COMPRENSIÓN AUDITIVA

Escuche dos veces el texto. Después dispondrá de tiempo para seleccionar la opción correcta entre las siguientes.

PREGUNTAS

1 En este texto se trata únicamente de la clonación de mamíferos.
a) verdadero   b) falso

2 Todos los entrevistados que hablan son profesores de universidad.
a) falso   b) verdadero

3 En España todavía no se ha prohibido la clonación de seres humanos.
a) verdadero   b) falso

4 Según el texto, la clonación:
a) respeta el sistema de la reproducción natural.
b) rompe las barreras sobre la reproducción de las especies.
c) debe extrapolarse a las personas.

5 Uno de los entrevistados afirma:
a) que cada ser humano no tiene el derecho de ser él mismo.
b) que es prematuro legislar sobre el tema.
c) que la clonación de seres humanos es inaceptable.

PRUEBA 4: GRAMÁTICA Y VOCABULARIO

SECCIÓN 1: TEXTO INCOMPLETO

Complete el siguiente texto eligiendo para cada uno de los huecos una de las tres opciones que se le ofrecen.

¿Qué tendrá la K?

Pocas letras en el abecedario dan origen a menos palabras. El récord …1… ostenta la "w", grafía con la que en español comienzan sólo una docena de palabras. Con la "x", muy solicitada …2… los fabricantes de automóviles para distinguir los diferentes niveles de equipamiento, comienzan en español 27 palabras. Y en el …3… puesto de esta particular clasificación se sitúa la "k", con …4… forma comienzan en este idioma sólo 47 vocablos.

Pero también se ha puesto de moda en el idioma automovilístico y se utiliza en el nombre de distintos modelos. En el automóvil, este símbolo aparece continuamente. Asociado al espacio, "km", unidad de medida habitual de distancia en las carreteras y, asociado también al tiempo, "km/h", de tal forma que …5… la velocidad de nuestros desplazamientos, en kilómetros recorridos por cada hora transcurrida.

También en ciencia, en concreto en química, la "K" es el símbolo del potasio, un metal alcalino …6… reacciona con mucha facilidad …7… todos los elementos no metálicos.

Quizá sea éste el truco. Se trata de buscar que los coches "metálicos" …8… con rapidez con algún conductor "no metálico" (que transporte corrientes, a ser posible en metálico), para que no …9… unidades en estado puro o elemental, sino que se produzca rápidamente el enlace. De ahí viene la frase que …10… se emplea actualmente: "Entre nosotros hay química". Y eso es precisamente lo que esperan los fabricantes de automóviles:"química" entre sus modelos y los ciudadanos.

Adaptado de *Autoclub*

1 a) lo
b) la
c) le

2 a) de
b) para
c) por

3 a) tercero
b) tercer
c) tres

4 a) que
b) cual
c) cuya

5 a) mido
b) mide
c) medimos

6 a) el que
b) que
c) cual

7 a) de
b) en
c) con

8 a) reaccionen
b) reaccionan
c) reaccionaran

9 a) haga
b) hay
c) haya

10 a) tan
b) tanto
c) tanta

SECCIÓN 2: SELECCIÓN MÚLTIPLE

EJERCICIO 1

En cada una de las frases siguientes se ha marcado con letra **negrita y cursiva** un fragmento. Elija entre las tres opciones de respuesta, aquélla que tenga un significado equivalente al del fragmento marcado.

1 - Se pasa todo el día criticando a los demás.
- Sí. Pero nadie le **hace caso.**
a) presta atención
b) comprende
c) gusta

2 - ¿Cuándo vamos a salir?
- Cuando estéis **listos**, me llamáis.
a) preparados
b) puntuales
c) inteligentes

3 - Por favor, no hagas tant ruido y deja de **dar la lata.**
- Es que no sé qué hacer.
a) charlar
b) divertirte
c) molestar

4 - No sé cómo traducir esta palabra.
- Pues **echa mano de** un buen diccionario.
a) utiliza
b) compra
c) pide

5 - ¡Oye! Te has olvidado de comprar el pan para la comida.
- Sí, claro. No puedo **estar pendiente de** todo.
a) encontrarlo
b) localizarlo
c) controlarlo

EJERCICIO 2

Complete las frases siguientes con el término adecuado de los dos o cuatro que se le ofrecen.

1 - ¿Ha salido ya tu último disco?
- No, sale ... la venta la próxima semana.
a) a   b) para

2 - ¿Encontraste entradas para el cine?
- Sí, no tuve... problema.
a) ningún   b) ninguno

3 - ¿Qué es eso que has com prado?
- Un mueble ... la ropa.
a) por   b) para

4 - ¿Quién te ha dicho adiós?
- Es ... de los amigos de mi hermana.
a) un   b) uno

5 - ¿Dónde ... la clase y a qué hora?
- Creo que, como siempre, en el aula B a las dos.
a) está   b) es

6 - ¡Qué corbata tan bonita!
- Sí. Y me gusta ... voy regalarle la misma a mi amigo.
a) tanto que   c) tanto como
b) tantas que   d) tan como

7 - Tengo que ir al pueblo de mi madre. ¿Qué me aconsejas?
- Que ... en coche, puesto que no hay mucho tráfico.
a) vas   c) ibas
b) fueras   d) vayas

8 - Tú, ¿qué piensas que le pasa a Carmen?
- Que...muy enfadada contigo.
a) esté   c) ha estado
b) está   d) estuvo

9 - ¿Quieres que te ayude e algo?
- Sí. Quiero que me ... la rop a secar.
a) pones   c) pongas
b) ponías   d) hayas puesto

10 - Tienes que hablar con tu vecino de lo que está pasando.
- Sí. Ya lo sé. Mañana pasaré ... su piso.
a) para   c) por
b) en   d) a

11 - ... se retrasa, no le espero.
- No te preocupes, llegará a la hora.
a) Si   c) Cuando
b) En cuanto   d) Como

12 - ¿Qué os pasa? ¿Seguís d mal humor?
- ¿Cómo quieres que no estemos? Nadie nos habla.
a) lo   c) nos
b) os   d) le

13 - ¿Sabes cantar?
- Bueno, así así. Te voy a hacer una demostración para que ... .
a) ves   c) veas
b) veáis   d) veías

14 - No sé lo que le pasa, pero no sale de casa.
- ... estuvo mala, no pone los pies fuera de casa.
a) Hasta que   c) Desde que
b) Aunque   d) Mientras que

15 - ¿Fuiste a informarte sobre la vacaciones?
- Sí, pero no había nadie qu ... informarme.
a) pudiera   c) podrá
b) podría   d) pueda

PRUEBA 5: EXPRESIÓN ORAL

SECCIÓN 1: PRESENTACIÓN DE UNA LÁMINA

Describa lo que sucede en las tres primeras viñetas, y en la cuarta póngase en el lugar de uno de los personajes y diga lo que él o ella diría en esa situación.

SECCIÓN 2: EXPOSICIÓN DE UN TEMA

Escoja un tema y haga una exposición durante dos o tres minutos. Los puntos que se le proponen son sugerencias para desarrollar libremente el tema.

TEMA 1: LA EDUCACIÓN

- ¿Quién debe ser el máximo responsable de la educación de los niños?: ¿La sociedad a través del Estado? ¿La familia? ¿Las instituciones educativas? ¿Otros?
- ¿La educación mejora el comportamiento de las personas o solamente les da conocimientos técnicos?
- La educación actual, ¿es peor, mejor o igual que antes?

TEMA 2: LA VIOLENCIA EN EL DEPORTE

- Los deportes de masas generan más violencia.
- El deporte le sirve a mucha gente como escape a sus preocupaciones y frustraciones.
- Los deportes en los que hay choque entre los participantes (fútbol, rugby, baloncesto), frente a otros en los que no lo hay (tenis, voleibol, atletismo).

TEMA 3: LA MÚSICA ROCK

- ¿Se puede considerar tan importante artísticamente como la música clásica?
- ¿Podría citar tres o cuatro músicos de rock que considere que están a la altura de los grandes compositores clásicos?
- ¿Hay alguna relación entre su éxito y el desarrollo de los medios de comunicación?

EL METAJUEGO

REGLAS DEL JUEGO

Material necesario: tablero, 36 tarjetas de preguntas y respuestas recortables (véase Libro del Profesor), un dado y una ficha para cada grupo.

- La clase se divide en dos grupos.
- Cada grupo tiene una ficha diferente que coloca al principio en la casilla central.
- Empieza el grupo que saque mayor número con el dado.
- El primer grupo mueve su ficha por el tablero en cualquier sentido tantas casillas como marque el número del dado, pero sólo en lín recta. Por tanto, para salir de la casilla central es necesario sacar un 1, un 2 o un 3. Si no se consigue en la primera tirada, le toca al o grupo.
- Para ir avanzando casillas es necesario responder a dos preguntas (una referida al país o Comunidad Autónoma española donde se ha caído y otra referida al tema de esa casilla). Las dos preguntas se encuentran en la tarjeta correspondiente.
- Si se responde a las dos preguntas, el grupo suma los puntos y sigue jugando. Si sólo se responde a una, el grupo consigue la mitad los puntos que marque la casilla y pierde el turno. Si no se responde ninguna, no se puntúa y se pierde el turno.
- Gana el grupo que consiga 36 puntos y regrese con su ficha a la casilla central.
- Los temas de cada casilla están indicados con una letra: **L** (léxico y frases hechas), **P** (pragmática de la comunicación), **C** (cultura gene de España e Hispanoamérica), **G** (gramática), **A** (argumentación y uso de la lengua) y **T** (conectores).
- La puntuación de cada casilla depende de su color: **rojo** (6 puntos), **azul** (4 puntos) y **verde** (2 puntos).

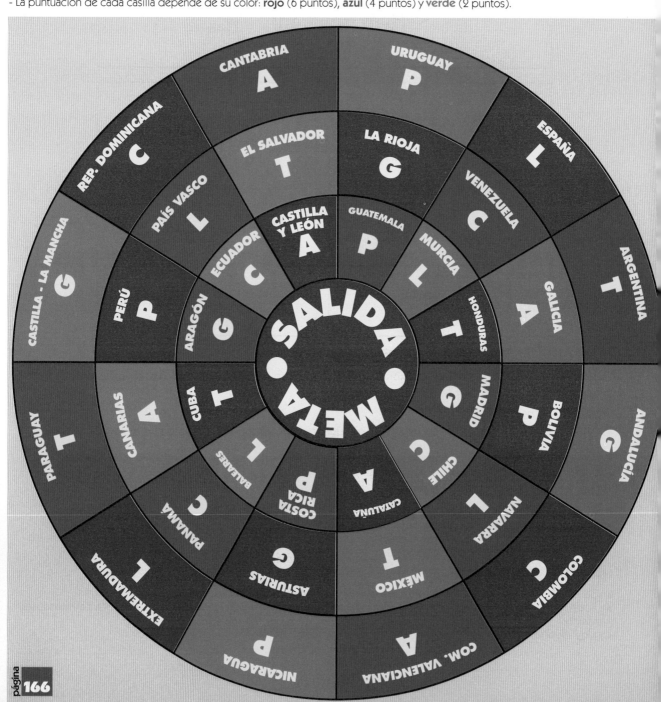

MATERIAL DE REFUERZO Y APRENDIZAJE

GRAMÁTICA

GRAMÁTICA

NORMAS   USOS

1. EL ACENTO

EL ACENTO GRÁFICO COMO ELEMENTO DIFERENCIADOR EN LA ORTOGRAFÍA

Algunas palabras llevan un acento gráfico para distinguirlas de otras de diferente significado pero de idéntica ortografía.

1 Compare estas parejas dando un sinónimo o una definición de cada palabra.

1. Aun _____
   Aún _____
2. De _____
   Dé _____
3. Mas _____
   Más _____
4. Si _____
   Sí _____
5. Solo _____
   Sólo _____
6. Te _____
   Té _____

EL ACENTO GRÁFICO SOBRE LAS VOCALES DÉBILES DE LOS DIPTONGOS

Si la vocal débil lleva acento tónico, entonces se destruye el diptongo y se pone precisamente un acento gráfico sobre esta vocal débil.

2 Ponga un acento gráfico en las palabras que lo requieran.

1. Baul	3. Fluor	5. Buey	7. Diario	9. Mio
2. Oir	4. Reuno	6. Dios	8. Raiz	10. Tio

PRÁCTICAS SOBRE EL ACENTO

Normalmente, las palabras acabadas en **vocal**, en **N** y en **S** llevan el acento tónico en la penúltima sílaba y las que acaban en **consonante**, excepto N y S, llevan el acento tónico en la última sílaba.
De no ser así, llevan un acento gráfico en la vocal tónica.

3 Subraye en los textos siguientes la sílaba acentuada de cada palabra y haga una lectura en alta voz.

Texto número 1   **El beso - G.A. Bécquer (texto adaptado)**

-[…] ¡Oh...! si...; un beso..., solo un beso tuyo podra calmar el fuego que me consume.
- ¡Capitan...! - exclamaron algunos de los oficiales al verle dirigirse hacia la estatua como fuera de si, y con pasos inseguros- , ¿que locura vais a hacer? ¡Basta de bromas, y dejad en paz a los muertos!
El joven no oyo las palabras de sus amigos, y como pudo llego a la tumba y se acerco a la estatua. Pero al tenderle los brazos resono un grito de horror en el templo. Arrojando sangre por ojos, boca y nariz, habia caido con la cara deshecha al pie del sepulcro.

Texto número 2   **El casamiento engañoso - M. de Cervantes (texto adaptado)**

Cuatro dias despues nos casamos. Vinieron al casamiento dos amigos mios y un joven que ella dijo ser su primo. Despues me traslade a casa de mi esposa; lleve un baul con mis joyas y le di a ella todo el dinero que tenia para los gastos de la casa.
Durante seis dias vivi estupendamente, rodeado de lujos; desayunaba en la cama, me levantaba a las once, comia a las doce y a las dos hacia la siesta. En esos dias, doña Estefania fue muy buena esposa, cocinaba, planchaba y me hacia muy feliz, por eso mi mala intencion del principio se cambio por buena.

4 *Ponga los acentos gráficos que falten en los textos del ejercicio anterior.*

2. EL ARTÍCULO

1 *Explique las diferencias de sentido entre estas palabras según el género empleado.*

1. el frente - la frente
2. el editorial - la editorial
3. el capital - la capital
4. el orden - la orden
5. el Papa - la papa

6. el cólera - la cólera
7. el guía - la guía
8. el guardia - la guardia
9. el pendiente - la pendiente
10. el vocal - la vocal

2 *Ponga delante de cada palabra el artículo correspondiente: El / La.*

1. ..... color
2. ..... flor
3. ..... coche

4. ..... problema
5. ..... amistad
6. ..... terror

7. ..... orquesta
8. ..... mapa
9. ..... tesis

3 *Escoja el artículo correcto.*

1. Un/una aula
2. Un/una alma
3. Un/una hache

4. Un/una idioma
5. Un/una hada
6. Un/una águila

7. Un/una habla
8. Un/una hacha
9. Un/una ancla

4 *Ponga el artículo determinado si es necesario.*

1. Visitaremos .... España del sur.
2. Se casó a .... treinta años.
3. Estaré en .... casa todo el día.
4. .... Guadalquivir pasa por .... Sevilla.
5. Ha venido a visitarme .... señora Pérez.

6. Voy .... teatro todas .... veces que puedo.
7. He dejado .... coche .... lado .... tuyo.
8. No me quedan .... cigarrillos.
9. No necesitamos .... gente como tú.
10. .... lunes iré a verte.

3. LOS PRONOMBRES PERSONALES

Elija la respuesta adecuada.

1. ... gustó el concierto.
   a) les   b) las   c) los   d) lo

2. No sé si estos libros ... gustarán a mi amiga.
   a) les   b) los   c) la   d) le

3. Como regalo ... llevamos unas flores.
   a) lo   b) la   c) le   d) las

4. ¿Para la cita ... va bien mañana a la una?
   a) la   b) le   c) lo   d) se

5. Fueron al teatro y ... encantó la obra.
   a) le   b) les   c) los   d) se

6. Según ..., no llegaremos a tiempo a la estación.
   a) mi   b) yo   c) mí   d) ti

7. Estoy totalmente decidida, no me casaré ... .
   a) con él   b) consigo   c) con ella   d) conmigo

8. Entre ... y ..., hay muchas diferencias que nos separan.
   a) ti / él   b) mí / él   c) tú / yo   d) tú / mí

9. Esperamos que ... llame para saber a qué hora ... vamos a buscar.
   a) nos / lo   b) nosotros / le   c) él / nos   d) nos / le

10. A ... no ... apetece nunca salir por la noche.
   a) él / se   b) vosotros / os   c) usted / les   d) te / ti

4. TEST DE REPASO DE LOS VERBOS

1 Marque con una cruz los verbos de esta lista que le parecen irregulares...

    ... y los que le parecen regulares.

- Aconsejar
- Afrentar
- Agregar
- Aparentar
- Bostezar
- Ceder
- Colocar
- Comentar
- Comprender
- Coser
- Depender
- Desertar
- Despegar
- Desprender
- Disertar

- Emprender
- Entregar
- Envenenar
- Generar
- Guerrear
- Hospedar
- Injertar
- Inventar
- Menear
- Ofender
- Penetrar
- Perpetrar
- Preceder
- Pretender
- Promocionar

Total: _____

- Apretar
- Arrendar
- Colgar
- Concordar
- Consolar
- Descolgar
- Desconsolar
- Descontar
- Desterrar
- Empedrar
- Encerrar
- Escocer
- Fregar
- Herir
- Hervir

- Inquirir
- Invertir
- Investir
- Negar
- Plegar
- Promover
- Recoger
- Remorder
- Reñir
- Soltar
- Sonar
- Sonreír
- Soñar
- Tostar
- Tropezar

Total: _____

Las irregularidades que se dan en la conjugación española afectan a la raíz de los verbos. Hay verbos co diptongación: **e → ie**, **o → ue**, y verbos con la transformación **e → i**. No existen reglas universales para sabe qué verbos tienen estos tipos de irregularidades. Solamente el uso permite conocerlo.

2 Indique a qué tipo (**A, B, C**) pertenecen los verbos según la diptongación que tienen, o no tienen, en Presente de Indicativo.

A Diptongación E→IE	**B** No tienen diptongación	**C** Diptongación O→UE
*Perder / **pierdo***	*Celebrar / **celebro***	*Contar / **cuento***

1. Proteger	11. Morir	21. Soplar	31. Calentar ......
2. Defender	12. Mojar	22. Comprobar	32. Suspender ......
3. Soltar	13. Robar	23. Despertar	33. Colocar ......
4. Tropezar	14. Concertar	24. Apretar	34. Desesperar ......
5. Cegar	15. Ofender	25. Negar	35. Preceder ......
6. Ahogar	16. Esforzarse	26. Aprobar	36. Vencer ......
7. Doblar	17. Morder	27. Acostarse	37. Rodear ......
8. Pretender	18. Rezar	28. Aceptar	38. Desear ......
9. Depender	19. Recomendar	29. Volar	39. Gozar ......
10. Resolver	20. Avergonzar	30. Toser	40. Quebrar ......

3 Indique a qué tipo (**A, B**) pertenecen los verbos siguientes según tengan diptongación o transformación vocálica en Presente de Indicativo.

A Diptongación E→IE	**B** Transformación vocálica E→I
*Sentir / **siento***	*Pedir / **pido***

1. Despedir	6. Hervir	11. Inferir	16. Servir ......
2. Adherir	7. Reñir	12. Arrepentir	17. Advertir ......
3. Expedir	8. Freír	13. Teñir	18. Digerir ......
4. Preferir	9. Impedir	14. Sonreír	19. Elegir ......
5. Concernir	10. Sugerir	15. Pervertir	20. Corregir ......

Algunos verbos regulares e irregulares, para mantener la pronunciación de la consonante final de la raíz, sufren modificaciones ortográficas: **c** cambia en **qu** delante de *e*; **c** cambia en **z** delante de *o, a*; **g** en **gu** delante de *e*; **g** en **j** delante de *a, o*; **z** en **c** delante de *e*, etc.

4 Escriba la primera persona del singular de los verbos siguientes en los tiempos que se indican.

		Presente de Indicativo	Pretérito Indefinido
1.	Cocer		
2.	Rogar		
3.	Empezar		
4.	Avergonzar		
5.	Forzar		
6.	Corregir		
7.	Pervertir		
8.	Coger		
9.	Vencer		
10.	Negar		
11.	Trocar		
12.	Desviar		
13.	Elegir		
14.	Maullar		
15.	Regar		
16.	Cruzar		
17.	Sacar		
18.	Mecer		
19.	Esparcir		
20.	Perseguir		

5. USO DEL PASADO

1 Pase los dos verbos de las frases siguientes a Pretérito Indefinido.

Ejemplo: *En cuanto le **veo**, **me voy** corriendo.*→ *En cuanto le **vi**, **me fui** corriendo.*

1. Lo **hago** cuando **puedo**.
2. **Se viste** con lo que le **parece** bien.
3. **Se va** de juerga y **se divierte** mucho.
4. **Siente** vergüenza cuando **pedimos** ayuda.
5. No **sabes** lo que **haces**.

2 Escoja las formas verbales adecuadas.

1. Cuando (**íbamos/fuimos**) a la playa, (**ocurría/ocurrió**) algo imprevisto.
2. (**Estábamos/Estuvimos**) sentados, cuando (**oíamos/oímos**) un ruido sorprendente.
3. El presentador (**llegaba/llegó**) y (**saludaba/saludó**) a todos con mucho entusiasmo.
4. (**Se acercaba/Se acercó**) a mí, en cuanto (**me veía/me vio**).
5. Cuando (**venían/vinieron**) a vernos, siempre se (**ponían/pusieron**) en el mismo sitio.
6. (**Estaba/Estuve**) durmiendo y me (**despertaba/despertó**) el despertador.
7. (**Comía/Comí**) en la terraza y se (**ponía/puso**) a llover.
8. Me (**levantaba/levanté**), me (**dirigía/dirigí**) hacia él y le (**decía/dije**) todo lo que (**pensaba/pensé**).
9. Me (**paseaba/paseé**) por el parque y (**miraba/miré**) las flores que (**crecían/crecieron**).
10. Al ver que no (**venían/vinieron**), les (**llamaba/llamé**) por teléfono.

3 Complete el cuadro siguiente según el modelo.

		Imperfecto	Pretérito Indefinido	Pretérito Perfecto
	Decir (yo)	decía	dije	he dicho
1.	Romper (tú)			
2.	Hacer (él)			
3.	Ver (usted)			
4.	Morir (nosotros)			
5.	Poner (yo)			
6.	Escribir (vosotros)			
7.	Satisfacer (yo)			
8.	Cubrir (él)			
9.	Abrir (tú)			
10.	Volver (usted)			

6. EXPRESIÓN DEL IMPERATIVO

EL IMPERATIVO

1 Ponga en Futuro estos Imperativos (en la misma persona).

Ejemplo: *Diviértete.* → *Te divertirás.*

1. Deténte. ....
2. Sé bueno. ....
3. Hazlo bien. ....
4. Propóngaselo. ....
5. Dímelo. ....
6. Cuénteselo. ....
7. Tráelo. ....
8. Duérmete. ....
9. Vete de aquí. ....
10. Salgamos fuera. ....

2 Ponga los Infinitivos siguientes en Imperativo (en la persona indicada).

1. Decir (tú) ....
2. Pedir (usted) ....
3. Jugar (usted) ....
4. Sentir (nosotros) ....
5. Ir (tú) ....
6. Reír (vosotros) ....
7. Hacer (tú) ....
8. Venir (tú) ....
9. Dormir (nosotros) ....
10. Tener (tú) ....

EL IMPERATIVO NEGATIVO

Para las prohibiciones, en español no se usa el modo Imperativo, sino el Presente de Subjuntivo en forma negativa.

Ejemplo: *Levántate.* → *No te levantes.*

3 Ponga en forma negativa las siguientes formas verbales.

1. Espérese. ....
2. Proponéoslo. ....
3. Sacrifíquense. ....
4. Confiéselo. ....
5. Sonreíd. ....
6. Comunícaselo. ....
7. Sáqueselo. ....
8. Dirigíos. ....
9. Movedlo. ....
10. Corrígenoslo. ....

4 Ponga en forma afirmativa las siguientes formas verbales.

1. No os lo creáis. ....
2. No se lo expliquéis. ....
3. No me lo envíe. ....
4. No se lo prueben. ....
5. No os dirijáis. ....
6. No nos lo pida. ....
7. No se den prisa. ....
8. No se levante. ....
9. No le influyáis. ....
10. No te detengas. ....

7. EL SUBJUNTIVO

EL SUBJUNTIVO SE UTILIZA EN ORACIONES SUBORDINADAS QUE DEPENDEN DE:

a. Verbos de voluntad, orden, prohibición y consejo

1 Ponga los verbos en negrita en Presente de Subjuntivo, precedidos de **QUE** según el modelo.

Ejemplo: *Te ruego entrar.* ⟶ *Te ruego que entres.*

1. Le aconsejo a usted **venir**.
2. Nos obliga a **ir**.
3. Te suplico **salir**.
4. Os imploro **tener** piedad.
5. Les ordena **levantarse**.
6. Le mandan **explicarles** lo que ocurre.
7. Te impongo **estudiar**.
8. Me empuja a **dejarla**.
9. Me impulsas a **tomar** decisiones.
10. Le ruego no **molestar**.

2 Ponga el Infinitivo en el tiempo y modo adecuados.

1. Os recomiendo que (ir) a ver a ese cantante.
2. Le dije que (salir) inmediatamente.
3. Te prohíbo que se lo (decir).
4. Os ordeno que (callarse).
5. Quiero que tú me (dejar) tranquilo.
6. Me encargó que te lo (traer).
7. Te he repetido mil veces que no (tocar) eso.
8. Nos aconseja que no (insistir) en ello.
9. Le recomendaría que se (ir) de vacaciones.
10. Te sugiero que (visitar) la ciudad.

b. Verbos que expresan duda, posibilidad, y verbos de percepción negativa

3 Ponga el Infinitivo en el tiempo y modo adecuados.

1. No creo que tú (ir a) consentir todos sus caprichos.
2. Dudo que él (saber) toda la verdad.
3. No estoy seguro de que ellos (llegar a) casarse para el mes de julio.
4. Es muy poco probable que ellas (saber) todo lo que dicen.
5. Desconfío de que ella (ser) tan rica como dice.
6. Nunca había pensado que (ser) tan difícil saber bien un idioma.
7. A mí no me parece que (haber) tanta gente en la manifestación como dice la prensa.
8. Me niego a pensar que ellos (tener) la suficiente sangre fría para abandonarlo.
9. No creía que él (poder) decir semejantes cosas de mí.
10. No me imagino ni por un momento que tú (poder) estar al corriente de la situación.

c. Oraciones que expresan un juicio de valor, una emoción o una obligación personal

4 Ponga el Infinitivo en el tiempo y modo adecuados.

1. Es injusto que los jóvenes (tener) tanta dificultad para encontrar un empleo.
2. Era una vergüenza que él (robar) a los pobres.
3. Parece mentira que las vacaciones (durar) tan poco tiempo.
4. Es mejor que nos (quedar) solos en casa.
5. Es natural que la gente (leer) cada vez más.
6. Más vale que tú (practicar) deporte, en lugar de ver tanto la televisión.
7. Está mal que todos (desanimarse) por tan poca cosa.
8. Es fundamental que la gente (aprender) cada vez más idiomas.
9. Es lógico que tú (estar) enamorado de él.
10. Es una suerte que tú (haber) sacado las oposiciones.

5 *Ponga las frases siguientes en Presente.*

1. Era necesario que se hiciera una buena limpieza de la habitación.
2. Era obligatorio que la gente llevara el carnet de conducir.
3. Fue preciso que llamara a un cerrajero para abrir la puerta.
4. Era indispensable que lo viera para tratar debidamente el tema.
5. Hizo falta que la gente saliera a la calle y protestara.
6. Lamenté mucho que no vinieras a la fiesta.
7. Me sorprendió que me llamara la atención de esa manera.
8. Le gustaba que estuvieras aquí cuando llegaba.
9. Me extrañó una barbaridad que no me saludara.
10. Le molestó que le dijeran las cosas así.

d. Oraciones precedidas de conjunciones y locuciones de anterioridad y finales

6 *Ponga el Infinitivo en el tiempo y modo adecuados.*

1. Antes de que lo (firmar), léetelo con detenimiento.
2. Antes de que él (decir) todo lo que tiene que decir, se hará de día.
3. No te lo dije para que se lo (repetir) a todos.
4. A fin de que la gente (enterarse) voy a poner un anuncio en el periódico.
5. Con objeto de que no (perder) el tren, lo llevé a la estación.

e. Oraciones condicionales cuando la condición es improbable

7 *Ponga el Infinitivo en Presente.*

1. El domingo iremos al campo a no ser que (llover).
2. Podrás aprobar el curso a condición de que (estudiar).
3. Lo conseguirás por poco que lo (querer) de veras.
4. Llama por teléfono en caso de que tú (ir a) llegar tarde.
5. Te lo diré con tal de que me (dejar) en paz.
6. Iremos andando a no ser que tú (preferir) ir en coche.
7. Me quedaré en casa a condición de que (haber) un buen programa en la tele.
8. Ganarás dinero por poco que (trabajar) seriamente.
9. Me avisarás en caso de que tú no (estar) de acuerdo.
10. No me importa el tiempo que tardes con tal que tú lo (hacer) bien.

8. CRITERIOS DE USO INDICATIVO/SUBJUNTIVO

ORACIONES SUSTANTIVAS

Si el verbo principal constata un hecho, el verbo subordinado va en Indicativo.
Si el verbo principal influye o emite un juicio de valor, el verbo subordinado va en Subjuntivo.

1 *Ponga los verbos entre paréntesis en Presente, en el modo adecuado.*

1. Es seguro que él (venir) a verme.
2. Es indudable que Juan siempre (tener) razón.
3. Es natural que las fiestas (celebrarse) a lo grande.
4. Me parece lógico que ellos nos lo (agradecer).
5. Es una suerte que ella (estar) aquí en este momento.
6. No cabe duda de que él (hacer) lo posible para que nos lo pasemos bien.
7. Parece mentira que una chica tan inteligente no (sentirse) bien mentalmente.
8. Está visto que él nunca (aprobar) los exámenes.
9. Es mejor que (descansar) ahora para que estemos en forma después.
10. Más vale que nosotros (salir) lo más rápido posible antes de que llueva.

ORACIONES CONCESIVAS Y TEMPORALES

> Si la acción expresada por el verbo subordinado constata un hecho, el verbo subordinado se pone en Indicativo.
> En cambio, si la acción expresada por el verbo subordinado no está verificada, se pone en Subjuntivo.

2 *Transforme los hechos verificados en hechos no verificados.*

Ejemplo: *Aunque no me **gusta** mucho el deporte, me **entreno** cada día.*
*Aunque no me **guste** mucho el deporte, me **entrenaré** cada día.*

1. Aunque **tengo** vacaciones, me **quedo** en casa.
2. Aunque no me **apetece** hacerlo, lo **hago** en seguida.
3. Lo **hago** aunque me **parece** difícil.
4. Por más que lo **intento**, no lo **consigo**.
5. Aunque no **pasamos** por ahí, **vamos** a verte.

3 *Escoja el modo adecuado.*

1. Cuando **llega / llegue** a un lugar, todos se quedan mirándole.
2. Cuando **miente / mienta**, se le nota en seguida.
3. En cuanto me **dice / diga** algo que no me guste, le pondré verde.
4. Tan pronto como se **pone / ponga** a trabajar, no se para.
5. A medida que **va / vaya** hablando, verás como se pone nervioso.

4 *Transforme las frases siguientes pasando el verbo de la oración principal a Pretérito y luego a Futuro, y modificando el verbo de la subordinada.*

Ejemplo: *En cuanto la niña me **ve**, se **pone** de pie.*
*En cuanto la niña me **vio**, se **puso** de pie.*
*En cuanto la niña me **vea**, se **pondrá** de pie.*

1. Cuando **amanece**, **empieza** una nueva vida.
2. En cuanto me **entero** de ello, te lo **digo**.
3. Conforme **llegan** los invitados, se **quitan** los abrigos.
4. Siempre que te **pones** este vestido, **llamas** mucho la atención.
5. Cuando **dejas** de hablar, **reina** un silencio absoluto en casa.
6. Tan pronto me **pongo** a comer, se **sienta** el gato a mi lado.
7. En tanto que te **vistes**, me **acerco** a la panadería a comprar pan.
8. Una vez **salgo** a la calle, me **olvido** de los problemas.
9. Cuando **salimos** del teatro, **tomamos** una cerveza.
10. Hasta que no **despega** el avión, no me **quedo** tranquilo.

ORACIONES CAUSALES, MODALES Y CONDICIONALES

> Si la acción expresada por el verbo subordinado se limita a verificar un hecho, el verbo subordinado va en Indicativo.
> En cambio, si la acción expresada por el verbo subordinado no está verificada, se pone en Subjuntivo.

5 *Escoja el modo adecuado.*

1. Como no **llegue / llega** inmediatamente, me iré sin esperarla.
2. Puesto que **estás / estés** cansada, siéntate aquí.
3. Como no **va / vaya** a clase, lo castigarán.
4. Me siento como cuando **era / fuera** un niño pequeño.
5. Lo dijo como quien no **quiere / quiera** la cosa.
6. Lo haré cuando me lo **dice / diga**.
7. Ya que **ha / haya** llovido tanto este mes, no habrá que regar.
8. Dado que no **entiendes / entiendas** de mecánica, no hagas bricolaje con mi coche.
9. Como no se lo **dices / digas**, se enfadará mucho.
10. Me siento como si **tenía / tuviera** veinte años.

9. CORRESPONDENCIA DE LOS TIEMPOS

Independientemente del verbo principal, cuando el verbo subordinado va en Indicativo, puede estar en cualquier tiempo, salvo en Pretérito Anterior. Si el verbo subordinado va en Subjuntivo, su tiempo depende del tiempo del verbo principal. Observe el cuadro siguiente.

Verbo principal	Verbo subordinado
Presente Futuro Imperativo	Presente de Subjuntivo Pretérito Perfecto de Subjuntivo
Pretérito Perfecto Pretérito Imperfecto Pretérito Indefinido Pretérito Pluscuamperfecto Condicional Simple o Compuesto	Imperfecto de Subjuntivo Pluscuamperfecto de Subjuntivo

1 Complete las frases siguientes con el término adecuado de las cuatro opciones que se le ofrecen.

1. Me dijo que te contara por qué …. .
   a) ha venido   b) haya venido   c) hubiera venido   d) había venido

2. No creo que … bastante dinero para comprarse lo que desea.
   a) tiene   b) tenga   c) tenía   d) tuviera

3. Por mucho que tú …, yo te quiero.
   a) hayas mentido   b) has mentido   c) hubieras mentido   d) habías mentido

4. Me molestó que … que yo lo … adrede.
   a) creyera … hacía   b) creía … hacía   c) creyó … hice   d) creyó … hago

5. El hecho de que … ricos, no significa que … inteligentes.
   a) sois … sois   b) erais … erais   c) seáis … seáis   d) seáis … sois

2 Complete libremente las siguientes frases.

1. Te advertí que _____
2. Me aconsejó que _____
3. Le contaré lo que _____
4. Esperé que _____
5. Le dije que _____
6. Me impidió que _____
7. Parecía que _____
8. Le propondré que _____
9. Me rogó que _____
10. Nos incitó a _____

3 Ponga el Infinitivo entre paréntesis en el tiempo y modo adecuados.

1. Porque tú (ser) amigo mío, no voy a permitirte todo lo que quieras.
2. A lo mejor, yo (acompañarte) a esa conferencia.
3. Sospeché que aquella señora (deber de) ser su hermana.
4. Cuando tú (poder), me telefoneas.
5. Con que él me (dejar) el coche una tarde, será suficiente.
6. En caso de que tú (llegar) y no (haber) nadie, me dejas una nota en la puerta.
7. Mientras que yo (quedarme) con los niños, ella se fue de paseo.
8. Fue imposible que él (ir) a Sevilla en el AVE.
9. Aunque yo (ser) aficionado a los toros, nunca voy a una corrida.
10. Lo hizo como si no (saber) lo que hacía.

4 Pase la principal a Futuro y transforme la subordinada.

Ejemplo: *Cuando **voy** a Barcelona, todo me **parece** extraordinario.*
*Cuando **vaya** a Barcelona, todo me **parecerá** extraordinario.*

1. Se volvieron a ver cuando se celebró el cumpleaños.
2. Aunque vivimos juntos, no nos llevamos bien.
3. Leía todo cuanto encontraba a su alcance.
4. Cuando llegue, le saludas atentamente.
5. Te lo digo con tal de que me dejes tranquilo.

5 *Convierta las siguientes frases coordinadas en subordinadas según el modelo.*

Ejemplo: *Me lo has explicado claramente y te lo agradezco.*
Te agradezco que me lo hayas explicado claramente.

1. No supo hablar con ellos de sus problemas y es una vergüenza.
2. Llegó tarde, tuve que ponerle una mala nota y lo siento.
3. La miró con insistencia y ella se molestó mucho.
4. Iban disfrazados a trabajar y me pareció muy raro.
5. Bebiste demasiado y nosotros eso no lo aceptamos.

10. LA CONDICIÓN

REPASO DE LAS PRINCIPALES REGLAS:

ORACIONES CONDICIONALES CON SI

> **Si** + Presente de Indicativo ... Presente de Indicativo, Futuro, Imperativo
> **Si** + Imperfecto de Subjuntivo ... Condicional
> **Si** + Pluscuamperfecto de Subjuntivo ... Condicional o Pluscuamperfecto de Subjuntivo

OTRAS FORMAS DE EXPRESAR LA CONDICIÓN

> **Como** + Subjuntivo. Ejemplo: *Como venga a verme, le recibiré.*
> **De** + Infinitivo. Ejemplo: *De tener noticias, te lo comunico.*
> Con el Gerundio. Ejemplo: *Sabiendo las cosas, podremos actuar mejor.*

1 *Ponga los verbos entre paréntesis en Presente de Indicativo o en Imperfecto de Subjuntivo según el contexto de la frase.*

1. Si yo (comprar) el vídeo, te lo enseñaré.
2. Si él (venir) manaña, iríamos al campo.
3. Si él (saber) música, tocaría el piano.
4. Si (ver) una corrida, les gustaría.
5. Si tú (invitarme), aceptaré encantada.

2 *Reemplace la construcción De + Infinitivo por Si + Imperfecto de Subjuntivo.*

1. De (yo) ir, sería a las ocho.
2. De llover, no saldría.
3. De (yo) comer sola, te invitaría.
4. De (ellas) salir, irían a pie.
5. De (él) saberlo, no se casaría.

3 *Reemplace Si + Indicativo por Como + Presente de Subjuntivo.*

1. Si bailas con María, me marcharé de la fiesta.
2. Si no piensas en los demás, no tendrás amigos.
3. Si bebe más de la cuenta, se mareará.
4. Si no se disculpa, no la recibiré.
5. Si dejáis el coche ahí, se lo llevará la grúa.

11. USO DE LOS VERBOS SER Y ESTAR

> **Ser: verbo de existencia y de definición**
> Expresa el hecho de existir y las características esenciales de una persona o cosa.
>
> **Estar: verbo de estado, situación y resultado**
> Expresa el lugar, el tiempo, indicándolo con precisión; expresa las circunstancias no duraderas, el estado de una persona y los momentos de una acción.

1 *Subraye el verbo adecuado.*

1. **Es / Está** una pena que no vengas con nosotros de vacaciones porque nos lo vamos a pasar en grande.
2. La chica que **es / está** de espaldas **es / está** amiga mía.
3. ¿Cuándo **es / está** tu cumpleaños?
4. Parece mentira que, a su edad, **sea / esté** tan poco maduro.
5. **Es / Está** primavera y parece que **somos / estamos** en invierno.

2 *Rellene los espacios en blanco con los verbos **SER** o **ESTAR** en el tiempo y modo adecuados.*

1. ¿En qué sitio .... la boda?
2. Hoy .... su día de descanso, por esa razón no .... aquí.
3. Su esposo .... natural de Ávila.
4. Podéis entrar si no os importa .... de pie.
5. Aunque los exámenes .... difíciles, pienso aprobar.

El mismo adjetivo, utilizado con **SER** o **ESTAR**, puede cambiar de sentido:
● Con **SER**: señala una cualidad esencial y propia de la persona o el objeto.
● Con **ESTAR**: señala una cualidad momentánea debida a un cambio o alteración.

Ejemplos:

ser cojo = tener esa minusvalía permanente	**estar cojo** = cojear accidentalmente
ser decidido = de carácter	**estar decidido** = estar dispuesto a hacer algo
ser difícil = no ser fácil	**estar difícil** = resultar complicado
ser (un) distraído = de manera permanente	**estar distraído** = de modo ocasional
ser guapo = bien parecido físicamente	**estar guapo** = parecerlo por el modo de vestir, por ejemplo
ser joven = de edad	**estar joven** = parecer joven
ser (un) loco = haber perdido sus facultades mentales	**estar loco** = portarse de modo alocado
ser nuevo = recientemente hecho	**estar nuevo** = parecer nuevo
ser pobre = de condición modesta	**estar pobre** = quedarse de momento sin dinero
ser tranquilo = calmado de carácter	**estar tranquilo** = haberse calmado momentáneamente

(etc.)

3 *Subraye el verbo adecuado.*

1. Lola **es / está** segura de que aprobará el examen.
2. Este año la cosecha no **será / estará** muy buena.
3. Me pregunto cuántos vamos a **ser / estar** para la fiesta.
4. **Es / Está** un enamorado de la naturaleza.
5. **Es / Está** de portero en una discoteca.

4 *Rellene los espacios en blanco con los verbos **SER** o **ESTAR** en el tiempo y modo adecuados.*

1. Pedro .... muy atento y me ayuda aunque él está muy ocupado.
2. La pera .... verde y no se puede comer.
3. Puedes .... tranquilo, ese lugar .... muy seguro.
4. Rafael .... tan nervioso que no puede hacer trabajos de precisión.
5. Acabo de comprarme un abrigo de ocasión y .... tan nuevo que parece que me lo acaban de hacer.

> Algunos adjetivos cambian totalmente su significado, según sean utilizados con **SER** o **ESTAR**.

Ejemplos:

ser bueno = de carácter	**estar bueno** = de salud, de aspecto o para comerlo
ser católico = de religión	**(no) estar católico** = (no) estar bien de salud
ser despierto = inteligente	**estar despierto** = no estar dormido
ser listo = inteligente	**estar listo** = preparado
ser malo = de carácter	**estar malo** = enfermo
ser rico = que tiene dinero	**estar rico** = ser un alimento sabroso
ser vivo = rápido de espíritu	**estar vivo** = no estar muerto

(etc.)

5 *Subraye el verbo adecuado.*

1. **Es / Está** muy fuerte en idiomas, en particular en español.
2. La comida de aquí siempre **es / está** muy rica.
3. **Es /Está** una chica muy viva, parece una ardilla.
4. **Soy /Estoy** listo para salir cuando quieras.
5. Como no sabía la respuesta **era / estaba** roja de vergüenza.

6 *Rellene los espacios en blanco con los verbos **SER** o **ESTAR** en los tiempos y modos adecuados.*

1. No sé qué me pasa, no .... muy católico.
2. .... lista si cree que le van a hacer caso.
3. Siempre lee revistas eróticas; .... un viejo verde.
4. Vale mucho y .... despierto para los negocios.
5. A mí no me gusta mucho esa sopa porque .... muy salada.
6. Ese chiquillo .... tan malo que no deja de hacer tonterías.
7. No .... fresco, esas cosas no se pueden decir de esa manera.
8. No puedo contratarte en mi empresa; .... verde todavía.
9. La paella que me hiciste el otro día .... riquísima.
10. Aunque he tenido un terrible accidente de coche, ... vivo.

12. USO DE LAS PREPOSICIONES

CUADRO-RESUMEN DE ALGUNAS PREPOSICIONES

a	destino de un movimiento
con	compañía, modo, medio
contra	contrariedad, oposición
de	origen, procedencia
desde	punto de partida en el espacio y en el tiempo
durante	denota el tiempo en que se produce una acción
en	localiza en el espacio o en el interior de un lugar
entre	expresa algo que está entre dos términos
hacia	dirección aproximada
hasta	el punto límite en el espacio y en el tiempo
para	dirección aproximada hacia un destino
por	causa, finalidad, medio, tránsito por un lugar
según	expresa modo, particularidad
sin	privación
sobre	superposición, aproximación

1 Reemplace los puntos por una de las preposiciones anteriores:

1. Aburrirse … no hacer nada … alguien.
2. Acertar … la lotería.
3. Asistir … una cena … amigos.
4. Comprometerse … alguien … un asunto.
5. Comunicarse … escrito … alguien.
6. Convenir … alguien … el precio.
7. Convidar … una fiesta … gente.
8. Distinguirse … los demás … su talento.
9. Encontrarse … la calle … una amiga.
10. Estar … favor … algo o … alguien.
11. Estar … la hora exacta … un lugar.
12. Ir … coche, … tren, … barco, … autobús.
13. Ir(se) … vacaciones … alguien … un sitio.
14. Matarse … trabajar … ganarse la vida.
15. Orientarse … el centro … la ciudad.
16. Pasear … la calle … sus amigos.
17. Persuadir … algo … alguien … razones.
18. Quedar … las diez … algún sitio … la familia
19. Reemplazar una cosa … otra … un sitio.
20. Vivir … gusto … poco … cualquier parte.

2 Rellene los puntos con las preposiciones **POR** o **PARA**.

1. … ahora, las cosas seguirán igual que siempre.
2. … mi gusto, el mundo avanza demasiado deprisa.
3. … su culpa hemos perdido el tren.
4. … realizar ese viaje, no necesitas tanto equipaje.
5. … mí, puedes hacer lo que se te antoje.
6. Estudia … maestro.
7. Ha viajado … todos los países del mundo.
8. Estuve … ir a verla y decirle lo que pensaba de asunto.
9. Pregunta … el conserje y te dará la llave.
10. Voy a ir a … el periódico.

3 Marque la opción correcta.

1. Estabais muy interesados … este negocio.
   a) de   b) en   c) a   d) para

2. La fiesta fue ayer … la noche.
   a) por   b) de   c) a   d) para

3. Elena se ha ido a montar … caballo.
   a) a   b) en   c) sobre   d) con

4. Jesús está … delineante en una gran empresa.
   a) de   b) en   c) por   d) a

5. Acabé de leer el libro … dos horas.
   a) en   b) con   c) durante   d) por

13. PERÍFRASIS VERBALES

PERÍFRASIS VERBALES DE INFINITIVO

Dejar de + Infinitivo	= Cesar, parar de: *Dejaré de fumar lo antes posible.*
Empezar a + Infinitivo	= Comenzar a, ponerse a: *Empezó a gritar como un loco.*
Ir a + Infinitivo	Expresa la idea de futuro inmediato: *Voy a ver lo que pasa por la ciudad.*
Volver a + Infinitivo	Expresa repetición: *Las cosas están mal hechas, así que hay que volverlas a hacer.*

PERÍFRASIS VERBALES DE GERUNDIO

Estar + Gerundio	Expresa una acción que dura en el momento presente: *Estaba cantando mientras cocinaba.*
Ir + Gerundio	Expresa modo: *Las cosas se van mejorando.*
Llevar + Gerundio	Expresa duración: *Lleva estudiando tres años el mismo curso.*
Seguir + Gerundio	Expresa la continuidad de una acción: *Sigue levantándose a la misma hora.*

PERÍFRASIS VERBALES DE PARTICIPIO

Andar + Participio	Expresa acción durativa: *Dile a Marta que se tranquilice, porque anda muy excitada estos días.*
Dar por + Participio	Expresa acción terminada: *Esta lección ya la doy por explicada.*
Quedar + Participio	Expresa acción terminada: *Espero que quede solucionado el asunto antes de irnos.*
Tener + Participio	Varios sentidos (terminación, duración, repetición): *Todavía no tengo escrito el testamento.*

1 *Ponga los verbos entre paréntesis en Gerundio o déjelos en Infinitivo, según convenga.*

1. En cuanto deje de (gritar), trataré de hablar con él.
2. Sigue (llover) sin parar y parece que va a (durar).
3. No sé qué estará (hacer) y por qué tarda tanto.
4. Llevo (veranear) varios años en el sur de España.
5. Si tú no vuelves a (hacerme) caso, me enfadaré contigo.

2 *Ponga los Infinitivos entre paréntesis en la forma que convenga.*

1. Se quedó viuda y muy pronto (volverse a) (casar).
2. Parece ser que él ya (dar por) (concluir) la reunión.
3. Cada día (ir) (realizar) más progresos porque trabajáis con tranquilidad y constancia.
4. El otro día (empezar a) (decirme) una tonterías impresionantes, así que ya no le hago más caso.
5. Pedro y Juan (seguir) (decir) que no vendrán con nosotros de vacaciones.
6. Ella (llevar) (estudiar) muchas horas sin salir de casa.
7. Nosotros todavía no (tener) (reservar) los abonos para la próxima temporada.
8. (Ir a)(visitar) otra vez Canadá, porque nos ha gustado una barbaridad.
9. Pienso (volver a) (repetir) para que no se le olvide.
10. Él (llevar) (anunciar) su retirada mucho tiempo.

viñetas culturales

1. (pág. 7) Lengua: Logo del Instituto Cervantes.
Entidad pública para la promoción y difusión del español. Sus centros en todo el mundo imparten cursos de español, desarrollan actividades culturales y organizan las pruebas para la obtención de los diplomas oficiales de español para extranjeros (DELE): Certificado Inicial, Diploma Básico y Diploma Superior.
- *La ñ, letra del español.*
Los 350 millones de hispanohablantes en el mundo tienen un apego especial a la letra Ñ, frente a las presiones de la Unión Europea, que no quería incorporarla en los ordenadores de la Comunidad. Se ha convertido en el signo de identidad de todos los hispanohablantes.
- *Lenguas oficiales en España:* castellano o español (en todo el territorio), y catalán, gallego y vasco (en sus Comunidades respectivas).
- *Algunas siglas españolas:* AVE: Alta Velocidad Española (tren de alta velocidad que va de Madrid a Sevilla). IVA: Impuesto sobre el Valor Añadido. PVP: Precio de Venta al Público. PYMES: Pequeñas y Medianas Empresas. ONCE: Organización Nacional de Ciegos Españoles. DNI: Documento Nacional de Identidad.

2. (pág. 11) Literatura: Monumento a Cervantes (Madrid, España).
Miguel de Cervantes Saavedra (1547-1616). Escritor español nacido en Alcalá de Henares (Madrid). Los protagonistas de *El ingenioso hidalgo Don Quijote de la Mancha* encarnan la síntesis de la cultura española: el idealismo en la persona de Don Quijote y el realismo en la de Sancho Panza.
- *Premios Nobel de literatura en español*: José Echegaray (español) en 1904, Jacinto Benavente (español) en 1922, Gabriela Mistral (chilena) en 1945, Juan Ramón Jiménez (español) en 1956, Miguel Ángel Asturias (guatemalteco) en 1967, Pablo Neruda (chileno) en 1971, Vicente Aleixandre (español) en 1977, Gabriel García Márquez (colombiano) en 1982, Camilo José Cela (español) en 1989 y Octavio Paz (mexicano) en 1990.
- *Premios Cervantes* (concedidos por el gobierno español desde 1976): Jorge Guillén (español, 1976), Alejo Carpentier (cubano, 1977), Dámaso Alonso (español, 1978), Jorge Luis Borges y Gerardo Diego (argentino y español, 1979), Juan Carlos Onetti (uruguayo, 1980), Octavio Paz (mexicano, 1981), Luis Rosales (español, 1982), Rafael Alberti (español, 1983), Ernesto Sábato (argentino, 1984), Gonzalo Torrente Ballester (español, 1985), Antonio Buero Vallejo (español, 1986), Carlos Fuentes (mexicano, 1987), María Zambrano (española, 1988), Augusto Roa Bastos (paraguayo, 1989), Adolfo Bioy Casares (argentino, 1990), Francisco Ayala (español, 1991), Dulce María Loynaz (cubana, 1992), Miguel Delibes (español, 1993), Mario Vargas Llosa (peruano, 1994), Camilo José Cela (español, 1995), José García Nieto (español, 1996).

3. (pág. 19) El Estado español: Escudo.
Juan Carlos de Borbón fue proclamado rey en 1975 con el nombre de Juan Carlos I. Sus atribuciones son promulgar las leyes, convocar o disolver las Cortes, proponer candidatos a Presidente del Gobierno y ostentar el mando de las Fuerzas Armadas.
Política: Siglas y Partidos.
- *España*: PP: Partido Popular, PSOE: Partido Socialista Obrero Español, IU: Izquierda Unida; y además hay importantes partidos nacionalistas: CiU: Convergència i Unió (en Cataluña), PNV: Partido Nacionalista Vasco (en el País Vasco).
- *Hispanoamérica*: UCR: Unión Cívica Radical y PJ: Partido Justicialista (Argentina), PRI: Partido Revolucionario Institucional (México), Partido Conservador y Partido Liberal (Colombia), Izquierda Democrática y Partido Social Cristiano (Ecuador), PLN: Partido de Liberación Nacional (Costa Rica).

4. (pág. 23) Historia de América: Monumento a Colón (Madrid, España).
Descubrimiento de América por Cristóbal Colón: 12 de octubre de 1492 (Día de la Hispanidad).
- *Conquistadores*: D. Velásquez (Cuba), F. Pizarro (Perú), H. Cortés (México), D. de Almagro (Perú y Chile) y J. de Ayolas (Argentina y Paraguay). *Libertadores:* S. Bolívar (Venezuela), J. de San Martín (Argentina), A. J. de Sucre (Venezuela), M. Hidalgo (México), B. O'Higgins (Chile) y A. Nariño (Colombia). *Revolucionarios:* E. Zapata y P. Villa (México), F. Castro (Cuba) y Che Guevara (Argentina).
- *Civilizaciones precolombinas*: culturas inca y aymara (Perú), azteca (México), maya (México y Guatemala), aymara (Bolivia), tumaco y muisca (Colombia).
- *Rigoberta Menchú*, Guatemala, Nobel de la Paz en 1992 por su contribución a la justicia social y a la reconciliación de las diferentes etnias, en particular de las indígenas.

5. (pág. 31) Geografía: Río Cares (Cantabria, España).
- *España. Ríos:* Duero, Tajo, Guadiana, Guadalquivir, Ebro, Júcar, Segura y Miño. *Montañas*: la meseta castellana del interior está rodeada por el macizo Galaico, la cordillera Cantábrica, los montes de Toledo, el sistema Ibérico y Sierra Morena. En el sur, la cordillera Bética y en el norte los Picos de Europa y los Pirineos.
- *Hispanoamérica. Ríos:* Coco Segovia (Nicaragua), Amazonas (Perú), Paraguay (Paraguay), Paraná (Argentina), Uruguay (Uruguay), Río de la Plata (Argentina), Bravo del Norte o Grande (México), Orinoco (Venezuela), Magdalena (Colombia). *Montañas:* Los Andes (el Aconcagua es el pico más alto, con 6.959 m).

6. (pág. 35) Turismo: Hostal de los Reyes Católicos (Santiago de Compostela, España), un Parador.
Los Paradores de Turismo son establecimientos hoteleros dependientes del Estado español. Normalmente instalados en castillos históricos o en antiguos monasterios confortablemente amueblados.
- *España. Costas:* la costa española cambia de nombre según las regiones. Costa de Galicia, Costa Verde (Asturias), Costa Cantábrica, Costa Brava (Gerona), Costa Dorada (Tarragona), Costa del Azahar (Castellón y Valencia), Costa Blanca (Alicante y Murcia), Costa de Almería, Costa del Sol (Málaga), Costa de la Luz (Cádiz y Huelva). *Islas:* Baleares (Mallorca, Menorca, Ibiza, Formentera, Cabrera y Conejera) y Canarias (Gran Canaria, Tenerife, La Palma, Hierro, Fuerteventura, Lanzarote y Gomera). *Parques Nacionales*: Doñana, Aigüestortes y Timanfaya.
- *Hispanoamérica. Costas:* destacan las playas de Acapulco y Cancún en México, Viña del Mar en Chile y todo el Caribe. *Islas:* Cuba y República Dominicana, Isla de Pascua (Chile), Islas Galápagos (Ecuador), Isla Margarita (Venezuela). *Parques Nacionales*: Tikal (Guatemala), Corcovado y Tortuguero (Costa Rica), Islas Galápagos y Cotopaxi (Ecuador), Amboró y Tunari (Bolivia), Lauca y Vicente Pérez Rosales (Chile).

7. (pág. 47) Pintura: *La Asunción,* de El Greco (Toledo, España).
- *España. S. XVI-XVII:* El Greco, Velázquez, Ribera, Zurbarán y Murillo. *S. XVIII-XIX*: Goya. *S. XX*: Picasso, Sorolla, Gris, Miró, Dalí, Tàpies y Barceló.
- *Hispanoamérica. México. S. XVI-XVII:* Quesada y Peyrens. *S. XVIII:* Ibarra y Cabrera. *S. XIX-XX:* Jimeno, Parra, Goitia, Frida Kahlo y muralistas como Rivera, Orozco y Siqueiros. *Colombia. S. XX*: Botero.

8. (pág. 51) Cine: Cartel de *La mitad del cielo,* de Manuel Gutiérrez Aragón.
- *España. Directores:* L. Buñuel, L. Berlanga, M. Gutiérrez Aragón, C. Saura, P. Almodóvar (*Mujeres al borde de un ataque de nervios, La ley del deseo, Tacones lejanos*) y F. Trueba (*Belle Époque,* óscar en 1992). *Actores:* Fernando Rey, Victoria Abril, Antonio Banderas.
- *Hispanoamérica. Directores:* B. Alazraqui y E. Fernández (México), L. Sandrini, H. del Carril y L. Torre Nilsson (Argentina) y T. Gutiérrez Alea (Cuba). *Actores:* Mario Moreno "Cantinflas" (México), Jorge Perugorría y Andy García (Cuba), Héctor Alterio, Federico Luppi y Susana Reinaldi (Argentina).

9. (pág. 59) Arquitectura: Monasterio de San Lorenzo de El Escorial (Madrid, España).
- *España. Arte romano:* Acueducto de Segovia, Teatro de Mérida, Puente de Alcántara. *Arte Árabe:* Mezquita de Córdoba, Alhambra. *Arte románico:* Catedral de Santiago, Monasterio de Ripoll, Iglesia de S. Isidoro de León. *Arte gótico:* Monasterio de Poblet, Catedrales de Burgos y Toledo. *Renacimiento y Barroco:* Universidad de Salamanca, Hospital de la Santa Cruz (Toledo), El Escorial. *Neoclásico:* Palacio Real y Puerta de Alcalá (Madrid). *Contemporáneo:* La Pedrera, La Sagrada Familia (Barcelona) y Museo del Hombre (La Coruña).
- *Hispanoamérica. S. XVI:* Catedral de México, Castillo de la Real Fuerza (La Habana). *S. XVII:* Catedrales de Lima, Córdoba y S. Ignacio de Bogotá, Fortaleza de San Carlos de la Cabaña (La Habana). *S. XVIII:* Iglesia de la Compañía de Jesús (Quito), Catedral de la Merced (La Habana), Casa de los Azulejos y de los Mascarones (México). *S. XIX:* Escuela de Derecho y Hotel Portillo (La Habana), Panteón Nacional y Capitolio (Caracas). *S. XX:* Teatro Solís y Palacio del Gobierno (Montevideo), Ciudad Universitaria y Museo Nacional de Antropología (México).

10. (pág. 63) Ciudades Patrimonio de la Humanidad: Granada (España), La Alhambra.
- *España:* Ávila, Segovia, Salamanca, Cáceres, Mérida, Córdoba, Granada, Santiago de Compostela y Toledo.
- *Hispanoamérica. México*: México, Zacatecas, Guanajuato, Morelia, Puebla y Oaxaca. *Cuba:* La Habana y Trinidad. *República Dominicana*: Santo Domingo. *Guatemala*: Antiguo Guatemala. *Colombia*: Cartagena. *Venezuela*: Coro. *Ecuador*: Quito. *Perú*: Lima y Cuzco. *Bolivia*: Sucre y Potosí.

11. (pág. 71) Museos: El Prado (Madrid, España).
- *España*: Museo del Prado, Centro de Arte Reina Sofía y Museo Thyssen-Bornemisza (Madrid), Museo Picasso, Fundaciones Miró y Tàpies y MACBA (Barcelona), Museo Dalí (Figueras, Gerona) y Museo de Bellas Artes (Sevilla).
- *Hispanoamérica*: Museo de Bellas Artes y Museo de Artes Decorativas (Buenos Aires), Museo de Arte Popular y Museo de Tiahuanaco (La Paz), Museo del Oro (Bogotá) y Museo de Antropología (Lima).

12. (pág. 75) Música: la guitarra, símbolo de la música española.
- *Compositores. Españoles:* M. de Falla, J. Rodrigo, I. Albéniz, E. Granados. *Hispanoamericanos:* A. González Bravo (Bolivia), A. M. Valencia (Colombia).
- *Cantantes de ópera. Españoles:* Montserrat Caballé, Plácido Domingo, Victoria de los Ángeles, Teresa Berganza, José Carreras y Alfredo Kraus.
- *Solistas. Españoles:* Julio Iglesias, Ana Belén, Joan Manuel Serrat. *Hispanoamericanos:* Carlos Gardel (Argentina), Jorge Negrete (México), José Luis Rodríguez "El Puma" (Venezuela), Juan Luis Guerra (República Dominicana), Pablo Milanés y Gloria Estefan (Cuba).
- *Grupos. Españoles:* Mecano, Duncan Dhu, El último de la fila, Alaska y Dinarama. *Hispanoamericanos:* Maná (México), Pimpinela (Argentina), Los Kjarkas (Bolivia).
- *Guitarristas. Españoles:* Narciso Yepes, Andrés Segovia, Paco de Lucía y Manitas de Plata.
- *La zarzuela.* Género teatral y musical típicamente español. Combina partes cantadas y partes habladas. Obras: *La revoltosa, La verbena de la Paloma, Agua, azucarillos y aguardiente, Los gavilanes.*
- *El flamenco.* Cante y baile mezcla de folclore gitano y elementos orientales andaluces: Camarón de la Isla (cantaor) y Joaquín Cortés (bailaor).

13. (pág. 87) Prensa: Cabeceras de periódicos españoles.
- *España. Periódicos:* El País, ABC, Diario 16, La Vanguardia, Ya, El Mundo, Marca, El Mundo Deportivo. *Revistas:* Cambio 16, Tiempo, Interviú.
- *Hispanoamérica. Periódicos:* Gramma (Cuba), El Universal (Venezuela), El Mercurio (Chile), El Comercio (Perú), Clarín y La Nación (Argentina), El Periódico de Tucumán (México). *Revistas:* Noticias, Gente y El Gráfico (Argentina).

14. (pág. 91) Deportes: Ciclismo.
- *Tenis. España:* M. Santana, M. Orantes, J. Higueras, hermanos Sánchez Vicario, S. Bruguera, C. Moyá, A. Corretja, A. Costa, F. Mantilla, A. Berasategui. *Hispanoamérica:* G. Vilas (argentino), M. Ríos (chileno).
- *Ciclismo. España:* F. Bahamontes, P. Delgado, M. Induráin (ganador de 5 Tours de Francia). *Hispanoamérica:* L. Herrera (colombiano).
- *Golf.* Los españoles S. Ballesteros y J. M. Olazábal.
- *Fútbol.* Las selecciones de Uruguay y Argentina han ganado dos veces la Copa del Mundo. *Equipos:* Real Madrid y F.C. Barcelona en España, River Plate y Boca Júniors en Argentina, Peñarol en Uruguay.

15. (pág. 99) La fiesta taurina: el Toro de Osborne en las carreteras españolas.
Toreros famosos: Manolete, El Niño de la Capea, Paquirri, Litri, Dominguín, Paco Camino, El Cordobés, Joselito, Espartaco, Ortega Cano, Jesulín de Ubrique y César Rincón (colombiano).
En España hay 346 plazas de toros. Destacan Las Ventas de Madrid y La Maestranza de Sevilla.

16. (pág. 103) Fiestas y bailes tradicionales.
- *España:* Carnavales de Cádiz y Tenerife, desfiles de Gigantes y Cabezudos de Cataluña, procesiones de Semana Santa de Sevilla, Fallas de Valencia, Feria de Abril de Sevilla y Sanfermines de Pamplona.
- *Hispanoamérica:* las conmemoraciones de la Independencia (como el 28 de julio en Perú, o el 18 de septiembre en Chile), Sta. Rosa de Lima (30 de agosto) y Fiesta de la Vendimia (finales de febrero en Argentina).
- *Bailes tradicionales. España:* muñeira (Galicia), aurresku (País Vasco), jota (Aragón y Navarra), sardana (Cataluña), chotis y pasodoble (Madrid), seguidilla (Castilla), sevillanas (Sevilla), flamenco (Andalucía) y bolero (Mallorca). *Hispanoamérica:* conga, rumba y merengue (Cuba), tango (Argentina), cumbia (Colombia) y chachachá (México).

17. (pág. 111) Costumbres y objetos tradicionales: pandereta y castañuelas.
- *Gran afición a los juegos de azar:* quiniela, lotería nacional, lotería primitiva, bonoloto, cupón de los ciegos (ONCE), bingo.
- *Algunas costumbres:* 31 de diciembre: los españoles se toman doce uvas coincidiendo con las 12 campanadas de medianoche. Así se tiene suerte durante todo el año que comienza. 6 de enero: todos los niños españoles reciben juguetes traídos desde Oriente por los tres Reyes Magos (Melchor, Gaspar y Baltasar). 24 de diciembre: en Honduras la gente se embriaga y enciende fuegos artificiales a medianoche. Fiesta de las quinceañeras: en México es todo un acontecimiento para las mujeres cumplir 15 años.
- *Objetos tradicionales españoles:* botijo (vasija de barro con un asa en la parte superior, una boca por donde se llena de agua y un pitón por donde se bebe), bota (recipiente pequeño de cuero para beber vino), porrón (vasija de vidrio de forma cónica usada para beber vino por un largo pitón), castañuelas (instrumento de percusión compuesto por dos piezas de madera que se sujetan a un dedo y se hacen sonar chocando una contra otra - véase viñeta cultural nº17, pág. 111 -), abanico (instrumento manual para hacer aire), mantilla (prenda femenina de encaje o seda que cubre la cabeza y cae sobre los hombros), peineta (peine usado como adorno para sujetar el pelo), pandereta (tambor pequeño con sonajas o cascabeles que se toca especialmente en las fiestas de Navidad - véase viñeta cultural nº17, pág. 111 -).

- *Objetos tradicionales hispanoamericanos*: boleadoras (argentino, instrumento que se tira a los pies o al cuello de los animales para agarrarlos), mate (argentino, recipiente que sirve para tomar la infusión de la hierba del mismo nombre), rebozo (mexicano, manto amplio que usan las mujeres en los pueblos para cubrirse la cabeza y los hombros), quena (peruana, flauta formada por tubos de distintas medidas), poncho (andino, prenda de vestir que consiste en una manta que tiene en el centro un agujero para meter la cabeza), chomba (chilena, chaleco cerrado de lana).

18. (pág. 115) Transportes: detalle de avión de Iberia, compañía aérea de España.
- *Compañías aéreas*: Iberia, Aviaco, Air Europa y Spanair (España), Aerolíneas Argentinas (Argentina), Aeroméxico (México), Aeronica (Nicaragua), Avianca (Colombia), AeroPerú (Perú), LAB (Bolivia).
- *Compañías ferroviarias*: RENFE (España), Ferrocarril del Pacífico (Nicaragua), ENAFER (Perú).
El Talgo es un tren articulado español, de gran velocidad y estabilidad, inventado por el ingeniero A. Goicoechea con la colaboración del matemático, arquitecto y financiero J. L. Oriol. La palabra Talgo es una sigla y significa: Tren Articulado Ligero Goicoechea Oriol.

19. (pág. 127) Empresas y bancos: Edificio del Banco Bilbao Vizcaya (BBV) en Madrid.
- *Industrias. España*: Repsol y CEPSA (carburantes), Iberdrola y ENDESA (energía), Telefónica (comunicación), Tabacalera (varios). *Hispanoamérica*: COMIBOL (minería, Bolivia), YPF (yacimientos petrolíferos, Argentina).
- *Bancos. España*: Santander, Bilbao Vizcaya, Argentaria, Central Hispano, Popular, La Caixa, CajaMadrid. *Hispanoamérica*: Banco Central y Banco Cafetero (Colombia), Banco Río (Argentina).

20. (pág. 131) Comercio: Naranja.
- *España*: naranjas, aceite de oliva, vino, cava, charcutería.
- *Hispanoamérica*: grano, carne y lana (Argentina), café (Colombia), azúcar (Cuba), guano y cobre (Perú), nitratos (Chile).

21. (pág. 139) Moda y diseño: la marca Loewe.
- *Centros comerciales en toda España*: El Corte Inglés.
- *Marcas españolas por todo el mundo*: Loewe, Milano, Zara, Solana, Coronel Tapiocca.
- *Diseñadores españoles de prestigio internacional*: Javier Mariscal, Balenciaga, Antonio Alvarado, Elena Benarroch, Jesús del Pozo, Adolfo Domínguez, Ágatha Ruiz de la Prada, Sibylla.

22. (pág. 143) Perfumes: Heno de Pravia, el aroma de España.
- *Aguas de colonia*: Agua Brava, Estivalia, Vetiver, Brummel y Quorum (de Puig), Varón Dandy, Brando y Andros (de Parera), 1916, Joya y Maja (de Myrurgia), Heno de Pravia y Lavanda Inglesa (de Gal).
- *Jabones*: Maja (Myrurgia), Magno (La Toja) y Heno de Pravia (Gal).

23. (pág. 151) Tapas y platos típicos: una tasca.
- *Tapa:* pequeña cantidad de comida que se sirve para acompañar la bebida, generalmente en aperitivos (tapas de queso manchego, de jamón serrano o de jabugo, aceitunas, etc.). Muchas de ellas se presentan atravesadas con un palillo (pincho o pinchito). La tasca, la taberna y el bar son el reino de las tapas.
- *Platos típicos. España*: paella valenciana, fabada asturiana, tortilla española (de patatas), cocido madrileño, gazpacho andaluz, bacalao a la vizcaína, calamares en su tinta o a la romana, zarzuela de mariscos. *Hispanoamérica*: carapulca y rocoto relleno (Perú), bife (Argentina, Chile y Uruguay), botanas, burritos, tacos, pozole, tortas y guacamole (México), mondongo (República Dominicana) y moros y cristianos (Cuba).

24. (pág. 155) Vinos y postres: Fino Tío Pepe y Turrón de Jijona.
- *Bebidas. Vinos*: Jerez (Andalucía), Rioja (Logroño), Valdepeñas (La Mancha), Penedés (Cataluña), vinos de Copiapó y Biobío (en Chile) y vino de Tarija (Bolivia). *Brandy*: Carlos III, Fundador, Osborne y Soberano (en España) y pisco o brandy de vara (en Perú y Chile). *Cerveza*: Marcas españolas: El Águila, Cruzcampo, Mahou, San Miguel y Damm. Chicha (cerveza peruana). *Otras bebidas*: sangría, horchata de chufas, sidra, anís (en España), tequila (México), infusión de coca (Andes) y mate (Argentina).
- *Postres. España*: flan, arroz con leche, natillas. Y en Navidad: turrón de Jijona o de Alicante, polvorones y mazapanes. Quesos: de Burgos, manchego y cabrales. *Hispanoamérica*: picarones (Perú), dulce de leche (Argentina), kuchen (Chile) y queso napolitano (México).

TRANSCRIPCIÓN DE TEXTOS AUDITIVOS

La cinta audio que acompaña al manual contiene:

1. Los textos iniciales de cada Unidad **(Salida)**, salvo los de las unidades 6 y 11, leídos todos con acento neutro.
2. Los textos de la Segunda Etapa de cada Unidad **(Comprensión oral)**, leídos con diferentes acentos del español, incluido el neutro.
3. Los textos de la **Prueba 3. Comprensión auditiva** de los cuatro modelos de **Preparación al Diploma Básico de Español como Lengua Extranjera**, leídos co acento neutro.

Se ofrece aquí la transcripción de los textos de los apartados 2 y 3, ya que los del apartado 1 están contenidos en el manual.

UNIDAD 1 · EN POCAS PALABRAS

Del texto **La importancia del español en el mundo** *van a escuchar la misma frase leída con algunos acentos diferentes: 1. acento andaluz, 2. acento argentino, 3. acento catalán, 4. acento cubano, 5. acento gallego, 6. acento mexicano, 7. acento neutro (peninsular, de la meseta).*

Podemos afirmar que la importancia del español en el mundo se debe al número considerable de hablantes, a la extensión geográfica de la lengua y a su difusión, tanto nacional como internacional.

Ahora van a escuchar el texto completo leído con acento neutro.

Segunda etapa: Comprensión oral. *Acento catalán.*

Los coches descapotables

Bueno, *voy a hablar de* los coches descapotables. Para mí, tienen muchos inconvenientes.

Empecemos por el espacio. Suelen ser coches de reducido tamaño exterior, y de aún menor espacio interior, tanto para los pasajeros como para el equipaje. *En consecuencia*, esto supone un grave problema cuando se realizan viajes de larga distancia.

Además, cuesta trabajo entrar y salir de ellos, y, una vez sentados en los rígidos asientos, los movimientos se hacen difíciles.

Sigamos por el precio. Normalmente los presentan como modelos prácticamente exclusivos y de gran diseño. Por ello sus precios están por las nubes y no son para todos los bolsillos. *Se puede añadir que* la dureza de las suspensiones suele hacer aún menos confortable su uso.

En pocas palabras, los coches descapotables son incómodos y caros, por lo tanto no compensa tener uno.

Todo esto nos lleva a deducir que las personas que se compran un descapotable es porque ya tienen otro coche. Y *por tanto* lo usan en muy pocas ocasiones, tal vez sólo para lucirlo. ¿No les parece que tengo razón? ¿O acaso ustedes encuentran alguna ventaja?

UNIDAD 2 · VUESTRA MAJESTAD ES_COJA

Acento neutro. **(Salida)** *Defensa de la monarquía española.* (pág.19)

Segunda etapa: Comprensión oral. *Acento andaluz.*

Los españoles y su compromiso social

Dicen que los españoles tenemos fama de ser ciudadanos poco comprometidos con la sociedad, pero esto no es verdad.

Miren, los últimos datos sobre donación de órganos para trasplantes sitúan a España en el primer lugar del mundo: se donan dos veces más número de pulmones, corazones, riñones o hígados que la media de la Unión Europea.

No hay comparación posible. Por ejemplo, pocas naciones se movilizan tanto como la nuestra en la aportación de alimentos a países del Tercer Mundo. *Recordemos si no la* lucha de algunos sectores de la población por conseguir que el gobierno destine el 0,7% del Producto Interior Bruto a estos países.

En los últimos años, los españoles se han manifestado en la lucha contra el terrorismo y en solidaridad con sus víctimas.

Yo creo que si este país tiene fama de poco solidario es porque ve que sus accion colectivas no son eficaces. Se denuncia continuamente que hay tráfico de drogas en barrio y la policía no hace nada. Denunciar un robo, un abuso sexual, presentar como testigo, acaban causando tantas molestias que los ciudadanos no lo vuelven hacer.

En este sentido, los españoles están decepcionados, ya que, en muchos caso colaborar es aumentar el desinterés.

Es evidente, pues, que la culpa no es del ciudadano, sino de las instituciones.

UNIDAD 3 · ¿QUÉ ME DICES?

Acento neutro. **(Salida)** *¿Cuáles son las clases de preguntas?* (pág. 31)

Segunda etapa: Comprensión oral. *Acentos mexicano y neutro.*

En la zapatería

COMPRADOR.- Hola, buenas tardes.
VENDEDORA.- Buenas tardes, ¿qué desea?
COMPRADOR.- ¿Puede enseñarme esos zapatos rojos que hay en el escaparate? D número 40, por favor.
VENDEDORA.- ¡Cómo no, señor! (Alzando un poco la voz.) Juan, ¿puedes traer un rojo del modelo Nepal?
JUAN.- No queda.
VENDEDORA.- Cuánto lo siento, señor. ¿Desea usted que le enseñe un mode parecido? Acaba de llegarnos.
COMPRADOR.- Muy bien. Pero, ¿no será mucho más caro? Lo que yo quiero es zapato ancho para que no me haga daño en el tobillo, y... barato.
VENDEDORA.- ¿Así que usted busca un zapato cómodo y a buen precio?
COMPRADOR.- Eso es.
VENDEDORA.- No se preocupe, señor. En seguida vuelvo.
   (Pausa)
VENDEDORA.- ¿Qué le parece?
COMPRADOR.- Es casi igual que el otro, pero, ¿no es más estrecho?
VENDEDORA.- ¿Cree usted que es más estrecho? Pruébeselo, si quiere. Me parec que es una falsa sensación.
COMPRADOR.- Vamos a ver. (Intenta ponérselo, pero le cuesta un poco.) ¿Un calz dor, por favor?
VENDEDORA.- Sí señor, tenga. Permítame, ¿quiere que le ayude?
COMPRADOR.- No, muchas gracias. (Se pone los zapatos.) Pues tenía usted razó no son estrechos. Me gusta cómo me quedan. ¿Cuánto valen?
VENDEDORA.- Si ha encontrado el zapato que buscaba, el precio es lo de menos, ¿n le parece? ¿Usted prefiere precio o comodidad?
COMPRADOR.- La verdad es que está usted en lo cierto. Me los quedo.

Preparación al Diploma Básico de Español como Lengua Extranjera. Modelo 1.
Prueba 3. Comprensión auditiva.

Va a oír dos veces un texto. Después dispondrá de tiempo para seleccionar la opción correct entre las siguientes.

Confusión en el aeropuerto

Hoy es jueves, son las doce del mediodía y esto es la torre de control del aeropuerto de Barajas.

¿Adónde irá esa azafata? ¡Que alguien le diga algo y la saque de ahí!

La azafata atraviesa la pista tirando de una maleta con ruedas y esquiva un DC-10 como si fuera un Twingo. Luego desaparece de la mirada sorprendida de los controladores aéreos, que desde hace más de un mes no ganan para sustos. El domingo pasado, en medio del gran colapso provocado por las obras del aeropuerto y el aumento de los vuelos, un avión portugués despegó con una puerta mal cerrada que se abrió al ganar altura. Uno de los controladores que hoy permanece de guardia también lo estaba aquel día:

El piloto se dio cuenta nada más despegar. Nos informó de la situación y pidió permiso para regresar. Como es lógico, le dimos prioridad, y el aterrizaje resultó muy espectacular. La puerta abierta fue golpeando el asfalto, saltaban chispas.

Afortunadamente no pasó nada, pero la pista quedó inservible durante un buen rato y claro, eso aumentó el atasco.

Se trataba de un Fokker 100 de la compañía Portugalia Airlines y todo quedó en el susto. La ejecutiva de servicio del aeropuerto de Barajas confirmó ayer: "El avión aterrizó a las 20.20 de la tarde del domingo, apenas unos minutos después de haber despegado. No sé si hubo chispas, pero sí que la alarma que el piloto vio en el cuadro de mandos era cierta: el avión llevaba una puerta abierta".

De *El País*)

UNIDAD 4 • EL QUE PARTE Y REPARTE ...

Acento neutro. **(Salida)** *La energía nuclear.* (pág. 47)

Segunda etapa: Comprensión oral. *Acentos argentino y neutro.*

Los hipermercados

INTERLOCUTOR 1: A mí me parece muy lógico que cada vez haya más personas que hagan sus compras en el hipermercado.

INTERLOCUTOR 2: *Cierto, pero no tiene sentido* que muchas familias dediquen un día entero del fin de semana a realizar la compra. Ir a un hipermercado es para muchas la mejor manera de pasar un momento de ocio.

INTERLOCUTOR 1: ¡*Claro!* Antes, ir a la compra era una tarea aburridísima y muy pesada. Pero con los hipermercados, no sólo comprás, sino que además te divertís con tu pareja o con tus hijos.

INTERLOCUTOR 2: ¡*Vamos hombre!* No compares ir al teatro o al cine con ir de compras a un hipermercado, de donde siempre sales con más cosas de las que habías pensado comprar. *Es evidente,* que para no perder tiempo ni dinero, lo mejor es comprar lo que necesites en las tiendas tradicionales de tu barrio.

INTERLOCUTOR 1: *De eso, nada.* Así perdés más tiempo. Yo prefiero ir una sola vez al hipermercado y comprar para todo el mes. *Además* es mucho más cómodo, porque podés llevar el auto sin problemas de estacionamiento.

INTERLOCUTOR 2: ¡*Ya estamos!* El coche. Mira, yo no tengo coche y, por tanto, tampoco problemas de aparcamiento. Lo siento, pero *creo que* comprar no sólo es cargar el coche, también es importante el contacto directo con el vendedor, que te conoce, te ayuda y te aconseja. En el hipermercado, raro es el día que el cajero no comete algún error con el lector de códigos.

INTERLOCUTOR 1: *Tenés razón, pero* cualquiera se puede equivocar. *Lo importante es* que ofrecen una gama muy variada de marcas comerciales y además sus precios son muy competitivos.

INTERLOCUTOR 2: *No me vengas con historias.* La mayoría de las veces la publicidad de las ofertas es engañosa y muchos de los productos se pueden encontrar más baratos en otras tiendas. *Además,* algunos alimentos los venden caducados, los envases están sucios u oxidados y los congelados han podido estar fuera del frío durante algún tiempo.

INTERLOCUTOR 1: ¡*No digás pavadas!* Los trabajadores de un hipermercado son tan profesionales como los demás.

INTERLOCUTOR 2: *En principio, sí. Pero* los propietarios sólo quieren ganar dinero, y a ésos no los verás nunca hablando con los clientes.

UNIDAD 5 • NO SABE / NO CONTESTA

Acento neutro. **(Salida)** ¿*La legalización de la droga resolvería el problema actual de ésta y sus consecuencias?* (pág. 59)

Segunda etapa: Comprensión oral. *Acento gallego.*

Los valores de la juventud

Es indudable que la fe religiosa de los jóvenes españoles en este final de milenio se mantiene a una temperatura muy baja. En un sondeo realizado entre personas de 19 a 23 años se obtuvieron los siguientes resultados: el 66% dijo que creía en Dios, el 18% en nada, el 3% en lo que veían y tocaban, y el 2% en ellos mismos.

Puede parecer que la cifra de los que creen en Dios es alta, pero hay que tener en cuenta que sólo el 25% de ellos afirma asistir a misa todos los domingos y un 37% no va nunca.

Todo parece indicar que la religión no forma parte de los valores de la juventud española actual, predominantemente católica. Según los sondeos, la familia, el amor, la amistad, el éxito en el trabajo, el dinero, la paz y la solidaridad están muy por encima de ella.

UNIDAD 6 • ESO HAY QUE VERLO

Segunda etapa: Comprensión oral. *Acento catalán.*

¿Me compras la moto?

HIJO.- Papá, ¿tú sabes que en nuestros días es necesario tener un vehículo eficaz, fiable y suficientemente seguro?

PADRE.- ¿Qué? ¿Qué quieres decir?

HIJO.- Que necesito una moto.

PADRE.- Mira hijo, lo hemos hablado otras veces y ya sabes lo que pienso de las motos.

HIJO.- Sí, pero es que estoy harto del autobús. El tráfico es insufrible y siempre llego tarde. En cambio, con la moto ganaría mucho tiempo. Es más rápida y puedo pasar entre los coches.

PADRE.- ¡Eso es muy peligroso!

HIJO.- Dudo que sea más peligroso que vivir: también me puede atropellar un coche caminando por la acera, o romperme una pierna bajando las escaleras.

PADRE.- No sé, no sé...

HIJO.- A pesar de lo que te imaginas, yo creo que la seguridad es buena si el conductor es prudente.

PADRE.- No es sólo eso. Yo odio las motos: hacen mucho ruido, contaminan...

HIJO.- Bueno, pero mucho menos que los demás vehículos. Ahora resulta que las motos son las culpables de la contaminación.

PADRE.- En vez de pedirme dinero para una moto, ahorra y cómpratela tú.

HIJO.- Entonces, aclárate. ¿No me la compras porque es peligrosa, contamina, o no quieres gastarte ni un duro?

Preparación al Diploma Básico de Español como Lengua Extranjera. Modelo 2.
Prueba 3. Comprensión auditiva.

Va a oír dos veces un texto. Después dispondrá de tiempo para seleccionar la opción correcta entre las siguientes.

Una misteriosa trenza de pelo color rubio

El peluquero del pueblo de mi padre se jubiló hace unos meses y vendió su negocio, un local minúsculo, situado junto a la plaza. Pero el nuevo propietario, al comenzar las obras de acondicionamiento, se tropezó con algo imprevisto. El peluquero había ido acumulando, a lo largo de más de treinta años de vida profesional, kilos y kilos de pelo en los bajos de su local, y fueron precisas dos jornadas de trabajo para vaciarlo por completo. En medio de ese trabajo, y confundida en aquella materia oscura, encontraron una trenza. Una trenza que causó la admiración de todos, pues era de color rubio, y tanto su vigor como su longitud incomparable hacían pensar que acababa de ser cortada. Fue tal el impacto que experimentaron al verla que suspendieron por unas horas su trabajo. ¿A quién había pertenecido? ¿Cómo era posible que aquella trenza casi sobrenatural les hubiera pasado inadvertida cuando lució luminosa en la espalda de una mujer real? ¿Acaso la mujer no era del pueblo? Y si era así, ¿por qué siendo el peluquero el mayor charlatán del pueblo nadie recordaba haberle oído hablar de aquella visita? No encontraron ninguna respuesta. La hermosa trenza fue a parar con el resto del pelo a uno de los remolques, donde desapareció para siempre.

UNIDAD 7 • DE COLOR DE ROSA

Acento neutro. **(Salida)** *El pensamiento positivo.* (pág. 87)

Segunda etapa: Comprensión oral. *Acento mexicano.*

Te quiero con todo mi cerebro

Hay mitos muy hermosos, y otros mentirosos que hay que romper. *Valga de ejemplo* la leyenda de que los niños son traídos por cigüeñas. Una historia creada para Suecia, Noruega y Escandinavia, que ni siquiera se tuvo la precaución de traducir para Perú, como que los niños son traídos por los cóndores.

Se sigue repitiendo también que Dios creó a Adán y de su costilla salió Eva. No del corazón o del cerebro, no: de la costilla. Eso permite que muchas mujeres quieran ser costillas y, como sus maridos lo saben, las cocinan. Es lo que el psicólogo peruano Artidoro Cáceres ha llamado, no sin buen humor, el complejo de chuleta de algunas mujeres latinoamericanas.

Y la gente sigue declarándose estúpidamente con frases como: "Te quiero con todo mi corazón", sabiendo que el corazón no quiere, se lo puede trasplantar. O haciendo los dibujos tontos de un corazoncito de baraja, con una flecha –porque además somos masoquistas– con gotas de sangre que salen por ahí.

Debiéramos ensayar el dibujo de un cerebro, con una rosa blanca y roja al centro. Porque el matrimonio y la unión es eso: paz y guerra. Lo que significaría declararse el amor con una mano en la frente y no en el pecho: te quiero con todo mi cerebro.

(Sara Mas, *Diario Noticias.* Adaptación.)

UNIDAD 8 • MÓNTATELO BIEN

Acento neutro. **(Salida)** *Conservar la Naturaleza es progresar.* (pág. 99)

Segunda etapa: Comprensión oral. *Acentos cubano y neutro.*

Supermercados Caribe

- El objetivo de Supermercados **Caribe** es la satisfacción de los clientes, pensando en sus necesidades, con un estilo cordial y profesional que nos ayuda a ganar su credibilidad y confianza.
- *Dice un proverbio* recogido por la tradición cubana: "No es el comercio lo primero que existió, sino la amistad".
- Los valores fundamentales de nuestra empresa son la ética, la calidad y los servicios.
- Ya sabemos que no hay nada nuevo, aunque, *como afirmó* el poeta cubano José Martí: "Todo está dicho; pero las cosas, cada vez que son sinceras, son nuevas".

- **Ética:** Anteponemos el interés general sobre el particular. El cliente recibe una información amplia, clara y veraz sobre productos y servicios. Y las ofertas tienen como fin beneficiar al máximo número de consumidores.
- **Calidad:** Nuestra vocación de líderes se basa en la calidad humana de nuestros trabajadores, la calidad de los productos y servicios y la calidad de los sistemas de gestión que garantizan la rentabilidad.
- **Servicios:** Para facilitar a nuestros clientes la realización de sus compras, adaptamos los horarios a sus necesidades, agrupamos gran variedad de productos en un mismo lugar, ofrecemos estacionamiento gratuito, carritos de compra en perfecto estado de uso y sistema de pago fácil y ágil.

- Es gracias a nuestra larga experiencia que pudimos describir los valores de nuestro mundo empresarial.

- Y lo hacemos ahora porque, *como dijo* Alejo Carpentier: "Los mundos nuevos deben ser vividos antes de ser explicados".

UNIDAD 9 • CON CIERTO SENTIDO

Acento neutro. **(Salida)** *La música amansa a las fieras.* (pág. 111)

(Este texto, en la Unidad, tiene espacios en blanco para que el alumno los complete a partir de la audición.)

La música siempre ha aparecido en la historia de los seres humanos como tranquilizadora: es el remedio más eficaz para calmar, alegrar y vivificar el corazón de las personas. Ya en la mitología clásica se nos decía que Orfeo, hijo de Apolo, encantaba con su voz y con su música a las bestias salvajes y a los árboles. O, incluso, gracias a su lira logró conmover a los dioses del Infierno y rescatar a su esposa Eurídice. Porque ya se sabe que música y flores, galas de amores.

Martín Lutero afirmaba que "la música es un don sublime que Dios nos ha regalado". De hecho, la música religiosa permite la concentración, la oración, el contacto con Dios. Y hoy en día en casi todos los lugares públicos donde se quiera crear un clima de tranquilidad y de relajación, se oye una música suave y discreta.

La música puede incluso servir de gran ayuda para curar enfermedades, puesto qu tonifica, crea energías, da fuerzas y levanta el ánimo; ya sabemos que, para el se humano, la salud es lo primero, y cualquier método que sirva para conservarla, s explota al máximo.

Y, por supuesto, la música se encuentra siempre presente en toda fiesta. No pued haber festejo o celebración sin música, ya que ésta barre la tristeza y el aburrimient convirtiéndolos en alegría y diversión.

Sin embargo, la música puede igualmente irritarnos, sobre todo si tenemos qu soportarla sin haberla escogido. Y a veces quisiéramos decirle a alguien: "Vete con música a otra parte". Puesto que también es capaz de desatar las pasiones y agudiza las energías destructoras. En la guerra, por ejemplo, las marchas militares enardecen soldado. Cuanto más intenso es el sonido del tambor o la trompeta, más ardoroso e su espíritu.

Ahí tenemos, por otro lado, músicas discotequeras que excitan los ánimos encienden pasiones. En algunos conciertos de gran exaltación se produce a veces u descontrol emocional. O las películas, que son cada vez más violentas, se acompaña con músicas y sonidos que quieren crear el pánico y el pavor entre los espectadores.

En definitiva, el gran poder de la música está en ser capaz de mover nuestro corazones en uno u otro sentido: puede crear un clima de tranquilidad y de sosiego, de relajación y de bienestar; pero también puede generar energías, irritar, desatar la pasiones y llevar a la violencia.

Podríamos decir que "la música va por dentro", pues dirige las almas de los hombres Y como dijo Beethoven, "el que comprenda la música quedará libre de todas la miserias que los demás hombres arrastran consigo".

Segunda etapa: Comprensión oral. *Acento argentino.*

El tango nunca muere...

El tango es una asombrosa mezcla de melodías del sur italiano, flamenco andaluz candombe afroamericano, habanera cubana y milonga gauchesca. Se baila de parej enlazada siguiendo un compás de dos por cuatro. Nació en los burdeles de lo arrabales de Buenos Aires y Montevideo. Pero en los años veinte se convirtió en u baile de moda en los salones de Europa y Estados Unidos gracias a la legendaria figur de Carlos Gardel.

Al ser posteriormente aceptado como forma de expresión cultural, tanto por la clas obrera como por los intelectuales, fue inevitablemente reprimido por las dictadura militares, como expresión subversiva, hasta bien entrados los años 70.

Pero como *más vale tarde que nunca*, los políticos contemporáneos enterraron su discrepancias bajo el embrujo del bandoneón, una variedad de acordeón muy popula en la Argentina.

Aunque Buenos Aires ha sido siempre reconocida como el nervio motor para producción disquera y la difusión del género, Montevideo también posee un distinguida tradición tanguera. El más famoso de todos los tangos, La Cumparsita, fu escrito por el uruguayo, don Gerardo Mattos, y la Cumbre Mundial del Tango, que s celebra cada año en Montevideo, también es prueba de ello.

¿Es el tango su baile preferido? Si no es así, ¿podría usted decirnos cuál es y explica algunas de sus características?

(Julio Etchart, *Diario Noticias.* Adaptación.)

Preparación al Diploma Básico de Español como Lengua Extranjera. Modelo 3.

Prueba 3. Comprensión auditiva.

Va a oír dos veces una parte del discurso de Gabriel García Márquez en el Primer Congres Internacional de la Lengua Española en Zacatecas, abril 1997. Después dispondrá de tiemp para seleccionar la opción correcta entre las siguientes.

Botella al mar para el dios de las palabras

«A mis 12 años de edad estuve a punto de ser atropellado por una bicicleta. Un señ cura que pasaba me salvó con un grito: "¡Cuidado!". El ciclista cayó a tierra. El seño cura, sin detenerse, me dijo: "¿Ya vio lo que es el poder de la palabra?". Ese día lo sup Ahora sabemos, además, que los mayas lo sabían desde los tiempos de Cristo, y co tanto rigor que tenían un dios especial para las palabras.

Nunca como hoy ha sido tan grande ese poder.

La humanidad entrará en el tercer milenio bajo el imperio de las palabras. No e cierto que la imagen esté desplazándolas ni que pueda extinguirlas. Al contrario, est potenciándolas: nunca hubo en el mundo tantas palabras con tanto alcance, autorida albedrío como en la inmensa Babel de la vida actual. Palabras inventadas, maltratada sacralizadas por la prensa, por los libros desechables, por los carteles de publicida habladas y cantadas por la radio, la televisión, el cine, el teléfono, los altavoces públic gritadas a brocha gorda en las paredes de la calle o susurradas al oído en la penumbras del amor. No: el gran derrotado es el silencio.»

(De *El País*)

UNIDAD 10 • TODO POR EL CAMBIO

Acento neutro. **(Salida)** *¿Ejército profesional?* (pág. 127)

Segunda etapa: Comprensión oral. *Acento andaluz.*

La risa

¿Sabe que la risa es la mejor defensa contra la infelicidad? Nos ayuda a liberarnos de nuestros males psíquicos; o, *más aún*, también se ha descubierto que la risa actúa sobre los mecanismos de defensa de nuestro cuerpo y lo inmuniza contra ciertas enfermedades.

En efecto, *por una parte* la tristeza atrae los virus, *y por otra* el buen humor los ahuyenta. Al parecer la risa genera endorfinas, unas hormonas que envían mensajes del cerebro a las células encargadas de luchar contra virus y bacterias.

Por eso, algunos médicos y psicólogos usan la risa, *ya sea* como terapia capaz de curar la depresión, *ya sea* para tratar otras enfermedades físicas. *Por un lado,* la risa sirve, por ejemplo, para digerir mejor los alimentos, porque se oxigena mejor nuestro cuerpo. *Y por otro,* se sabe que una persona depresiva que consiga reírse verá la vida con más optimismo.

No sabemos si la risa alarga la vida, pero al menos nos la hace más llevadera. Así que *yo estuviera en su lugar,* reiría; seguro que será usted más feliz.

UNIDAD 11 • ECHAR EL GANCHO

Segunda etapa: Comprensión oral. *Acentos cubano y gallego.*

Te vendo el caballo

MIGUEL.- Hola, Sergio, te he hecho venir porque quiero comentarte una cosa personalmente. Además, tenía muchas ganas de verte.

SERGIO.- Tú dirás, Miguel. Me tienes intrigadísimo.

MIGUEL.- Mira. Tú eres mi amigo y por eso te lo propongo a ti.

SERGIO.- ¿El qué?

MIGUEL.- Algo que te va a salir baratísimo y te va a hacer la vida más fácil, y mucho más a ti, que vives solo.

SERGIO.- Pero dime qué es.

MIGUEL.- Un caballo.

SERGIO.- ¿Un caballo? ¿Y para qué quiero yo un caballo?

MIGUEL.- ¿Cómo que "pa"* qué? No es un caballo normal. Es un caballo inteligente.

SERGIO.- Tú estás de broma, ¿no? A mí no me interesa un caballo.

MIGUEL.- Déjame que te explique. Este caballo habla.

SERGIO.- ¿Ah, sí? ¿Habla? Pues véndeselo a un circo. Yo no quiero un caballo. No tengo dónde meterlo. Ni dinero para alimentarlo.

MIGUEL.- No te preocupes, chico. Este caballo come muy poco. Y cuando sepas las cosas que hace, no te lo vas a pensar.

SERGIO.- Mira, Miguel, no he venido a verte para que me hagas perder el tiempo...

MIGUEL.- "¡Cucha!"* Este caballo te va a solucionar la vida. No sólo habla, también sabe cocinar, limpiar la casa, fregar los platos, planchar y todo lo que le pidas. Puede hacerte de sirvienta.

SERGIO.- ¿Pero qué me dices? Si eso es verdad... ¿por qué no te lo quedas tú?

MIGUEL.- ¡Qué más quisiera! Pero no puedo. Mañana empiezo un nuevo trabajo como reportero y voy a tener que estar de aquí "pa" allá. Por eso he querido proponértelo primero a ti.

SERGIO.- Pero, claro, ese caballo me va a costar una fortuna...

MIGUEL.- No, hombre, tú eres mi amigo. Ya te he dicho que te va a salir barato: sólo un millón de pesetas.

SERGIO.- ¿Un millón? Bueno, si hace todo eso que dices no es muy caro. De acuerdo, te lo compro.

* "pa" = *para* ; "¡cucha!" = ¡*escucha!*

(Un mes más tarde.)

MIGUEL.- ¿Dígame?

SERGIO.- Miguel, mira, te llamo para decirte que me has estafado. Llevo un mes con el maldito caballo y todavía no ha dicho *esta boca es mía.* Además, ni cocina, ni lava, ni plancha, ni nada de nada... Lo único que hace es ensuciarme la casa, se caga por todas partes, me rompe las cosas y lo peor de todo es que come como lo que es... ¡una bestia! Quiero que me devuelvas mi dinero.

MIGUEL.- Cucha, Sergio. Como comprenderás, yo no quiero ese caballo. Y si sigues hablando así de él, no te lo va a comprar nadie, ¿eh?

UNIDAD 12 • NO TE PARES

Acento neutro. **(Salida)** *El estacionamiento de pago sobre la vía pública.* (pág. 151)

Segunda etapa: Comprensión oral. *Acentos argentino, mexicano y neutro.*

¿Existe el amor eterno?

MODERADORA: ¿El amor dura hasta la muerte? ¿O es un sentimiento que desaparece con el paso del tiempo? ¿Qué piensan ustedes?

INTERLOCUTOR A: *Desde luego* que existe el amor eterno. El amor es un sentimiento primitivo que está en los genes humanos.

INTERLOCUTOR B: *¡Por favor!* Puede que el amor sea un elemento bioquímico, pero eso no quiere decir que se refleje sobre una sola persona y para siempre. *Por lo tanto,* no existe...

A: *Perdone que le corte.* El ser humano nace con la capacidad de amar, y cuando la pone en práctica de una manera auténtica, difícilmente desaparece.

B: *¡Todo lo contrario!* El amor se desgasta por muchas razones: decepciones, pérdida de la atracción sexual, los celos...

A: *Mire,* yo creo que lo que usted llama desgaste, es en realidad evolución. La unión amorosa entre dos personas está siempre en proceso de cambio: al principio se busca sobre todo sexo, después los hijos y al final, la compañía.

B: Yo sigo pensando que para que dure una relación sentimental es necesario cuidarla con la imaginación en el sexo, el respeto al otro y el calor de la intimidad. Si no es así, el amor se acaba.

MODERADORA: Bien, muchas gracias a los dos por su participación. Ahora son nuestros oyentes los que tienen que decidir. ¿Quién les ha convencido?

Preparación para el Diploma Básico de Español como Lengua Extranjera. Modelo 4.
Prueba 3. Comprensión auditiva.

Va a oír dos veces un texto. Después dispondrá de tiempo para seleccionar la opción correcta entre las siguientes.

¿Se atreverá el ser humano a realizar copias idénticas de sí mismo?

El logro del doctor Ian Wilmut y su equipo se ha convertido ya en la noticia científica del año. Pero también en un gran susto.

Juan Ramón Lacadena, director del Área de Genética de la Universidad Complutense, asegura: «No hay duda de que si es posible esa clonación en mamíferos, lo es también en humanos. Pero este éxito no debe extrapolarse nunca a las personas. Sería éticamente inaceptable».

Enrique Ruiz Vadillo, Magistrado del Tribunal Constitucional y genetista, opina: «En España, la clonación de personas está expresamente prohibida. Cuando se incluyó esta legislación, muchos pensaron que era algo prematuro, pero yo siempre he creído que se debía introducir».

Ricardo Aguilar, portavoz de la organización Greenpeace, comentó a la agencia Efe: «Experimentos como éste rompen las barreras sobre la reproducción de las especies y se entra en un campo peligroso».

Y Javier Gafo, catedrático de Bioética de la Universidad de Comillas, concluye: «Cada ser humano tiene el derecho a ser él mismo y a no venir al mundo diseñado por deseos ajenos».

(De *El Mundo.*)